Jör

Deutsc

# Orden & Ehrenzeichen von 1800-1945

Ausgabe 1979/80

Redaktionsschluß: 28. Februar 1979

Verlag und Herausgeber:
Jörg Nimmergut
Eversbuschstr. 108 · D-8000 München 50
Tel. 089/8122963


Titel: Jörg Nimmergut, München
Satz und Druck: Druckhaus Oberammergau GmbH


2. Jahrgang

Seit seinem ersten Erscheinen im Jahre 1977 hat sich der Deutschland-Katalog Orden & Ehrenzeichen zu einem Standardwerk entwickelt. Zahlreiche Sammler des In- und Auslandes haben durch ihre Hinweise und Anregungen den Katalog im jetzt vorliegenden 2. Jahrgang verbessert. So wurden mehr als 1.300 Preise neu festgesetzt. Völlig neu überarbeitet wurde das Preisgefüge Deutsches Reich 1933–1945. Damit wird dem Wunsch der Sammler entsprochen, aktuell informiert zu sein.

Die Preisgestaltung erfolgte als Mittelwert aus der Summierung von Auktionsergebnissen des In- und Auslandes, Notierungen bei Sammlerbörsen und Tauschtreffen, sowie der Auswertung von Händlerlisten. Parallel dazu wurde auch der Trend für jeweilige Stücke mitbewertet. Dabei darf nicht verkannt werden, daß eine Preisgestaltung dieser Art nur einen Rahmen stecken kann, da Alter, Herkunft, Erhaltungszustand und Verarbeitung von Orden und Ehrenzeichen mitunter stark differieren. So versteht sich der Katalog, wie schon sein Vorgänger, als Bewertungsgrundlage.

Probleme bereitete die Einhaltung der alten Nummerierung, da sich im Laufe der Zeit zahlreiche Ergänzungen und Veränderungen ergaben. Um die bisherigen Nummern beibehalten zu können, wurde folgende Regelung getroffen:

- kommt ein Orden oder Ehrenzeichen vor die Nr. 1 des betreffenden Landes, erhält er (es) die Nr. 0
- wird ein Orden oder Ehrenzeichen als Ergänzung zu einem schon aufgeführten Orden eingefügt, erhält er (es) eine Nummer mit alphabetischem Zusatz

  z. B. 1 goldene Kette

  1a goldene Kette mit Orden in Brillanten

- wird ein zusätzlicher Orden oder ein zusätzliches Ehrenzeichen nach einem schon aufgeführten Orden eingefügt, erhält er (es) eine Nr. mit einer Dezimale
  z. B. 39 Rettungsmedaille 1922–34
  39/1 große goldene Medaille für KuW 1928
- wird ein Orden oder Ehrenzeichen gestrichen, so bleibt die Nr. frei
  z. B. 1 Centenar-Medaille 1897
  (Nr. 2 gestrichen)
  3 Kriegsdenkmünze 1870 für Kämpfer

Mit dieser Regelung konnten bis auf zwei Ausnahmen die alten Nummern erhalten werden.

Ich bin zuversichtlich, daß dem Sammler deutscher Orden und Ehrenzeichen von 1800–1945 eine wiederum verbesserte Arbeitsunterlage an die Hand gegeben werden konnte. Besonderen Dank bei dieser Arbeit schulde ich den Herren Bernau, Bielitz, Blass, Geiger, Groch, Hartung, Dr. Klietmann, Rudloff, Seewöster und Volle sowie dem Institut für Hessische Ordenskunde. Sie alle haben mit wirklichem Einsatz und dem Wissen Ihrer Spezialgebiete dazu beigetragen, den Katalog in der vorliegenden Qualität möglich zu machen.

Für Anregungen, Korrekturen und weiteres Bildmaterial zur Verbesserung des Deutschland-Kataloges bin ich jederzeit dankbar.

München, im April 1979 Jörg Nimmergut

# Inhaltsverzeichnis

## Erklärungen

Für Materialangaben wurden folgende gängigen Abkürzungen gewählt:

| | | | |
|---|---|---|---|
| B | – Bronze | VS | – Vorderseite |
| br | – bronziert | RS | – Rückseite |
| G | – Gold | | |
| KM | – Kriegsmetall | | |
| Ku | – Kupfer | | |
| S | – Silber | | |
| St | – Stahl | | |
| Sv | – Silber vergoldet | | |
| vg | – vergoldet | | |
| vk | – verkupfert | | |
| vs | – versilbert | | |

## Weitere Hinweise:

KuW – Kunst und Wissenschaft
MVM – Militär-Verdienstmedaille
VM – Verdienstmedaille
ZVM – Zivil-Verdienstmedaille

Alle Preise verstehen sich in DM. Bei Ketten gilt der Preis nur für diese, nicht jedoch für das dazugehörige Kleinod. Ist ein * angegeben, handelt es sich zumeist um extrem seltene Stücke, für die sich der Preis nach Angebot und Nachfrage richtet.

# Anhalt-Gemeinsam

Die Fruchtbringende Gesellschaft (Palmen-Orden)

| | | |
|---|---|---|
| 0 | Kleinod | * |

Hausorden Albrecht des Bären

| | | |
|---|---|---|
| 1 | Kollane des Großmeisters | * |
| 2 | Großkreuz mit Krone | 3 000,– |
| 3 | Großkreuz mit Krone und Schwertern | 4 000,– |
| 4 | Großkreuz | 1 750,– |
| 5 | Großkreuz mit Schwertern | 2 500,– |

5, 10, 15, 19

6

7

11

14, 18

| | | |
|---|---|---|
| 6 | Bruststern der Großkreuze | 2 250,– |
| 7 | Komturkreuz mit Krone | 1 800,– |
| 8 | Komturkreuz mit Krone und Schwertern | 2 000,– |
| 9 | Komturkreuz | 900,– |
| 10 | Komturkreuz mit Schwertern | 1 200,– |
| 11 | Bruststern der Komture 1. Klasse | 2 800,– |
| 12 | Ritterkreuz 1. Klasse mit Krone | 400,– |
| 13 | Ritterkreuz 1. Klasse mit Krone und Schwertern | 700,– |
| 14 | Ritterkreuz 1. Klasse | 250,– |
| 15 | Ritterkreuz 1. Klasse mit Schwertern | 350,– |
| 16 | Ritterkreuz 2. Klasse mit Krone | 350,– |
| 17 | Ritterkreuz 2. Klasse mit Krone und Schwertern | 750,– |
| 18 | Ritterkreuz 2. Klasse | 225,– |
| 19 | Ritterkreuz 2. Klasse mit Schwertern | 250,– |
| 20 | Prinzessinnenkreuz (emailliert) | * |

20 23, 27 23, 27

| | | | |
|---|---|---|---|
| 21 | Goldene Medaille mit Krone | vg | 400,– |
| 22 | Goldene Medaille mit Krone u. Schwertern | vg | 500,– |
| 23 | Goldene Medaille | vg | 150,– |
| 24 | Goldene Medaille mit Schwertern | vg | 200,– |

| | | | |
|---|---|---|---|
| 25 | Silberne Medaille mit Krone | | 250,– |
| 26 | Silberne Medaille mit Krone und Schwertern | | 425,– |
| 27 | Silberne Medaille | | 150,– |
| 28 | Silberne Medaille mit Schwertern | | 150,– |

Verdienstorden für Wissenschaft und Kunst

| | | | |
|---|---|---|---|
| 29 | 1. Modell 1873 – 1905 | | 450,– |
| 30 | 2. Modell 1905 – 1912 | | 380,– |
| 31 | 3. Modell 1912 – 1918   1. Klasse | vg | 600,– |

29

30

36, 37

| | | | |
|---|---|---|---|
| 32 | 2. Klasse | vg | 400,– |
| 33 | 3. Klasse | S | 350,– |

Zivile Ehrenzeichen

| | | | |
|---|---|---|---|
| 34 | Silberne Regierungsjubiläumsmedaille 1867 | | 150,– |
| 35 | Vergoldete Regierungsjubiläumsmedaille 1867 | | 100,– |
| 36 | Goldene Regierungsjubiläumsmedaille 1896 | Sv | 1 100,– |
| 37 | Silberne Regierungsjubiläumsmedaille 1896 | | 110,– |
| 38 | Denkzeichen für 50-jährige Diensttreue | | 200,– |
| 38/1 | Erinnerungszeichen der Herzogin-Witwe Friederike 1901 | | 850,– |
| 40 | Ehrenzeichen der Feuerwehr | S | 150,– |
| 41 | Feuerwehrerinnerungszeichen für 50 Jahre | | 150,– |
| 41a | Feuerwehrerinnerungszeichen für 40 Jahre | | 120,– |

| | | |
|---|---|---|
| 42 | Feuerwehrerinnerungszeichen für 25 Jahre | 60,– |
| 43 | Ehrenzeichen für Treue in der Arbeit | 125,– |
| 44 | Goldenes Kreuz für langjährige Diensttreue weiblicher Dienstboten für 40 Jahre 1. Modell, bis 1904, Namenszug „A" | 400,– |
| 45 | Silbernes Kreuz für langjährige Diensttreue weiblicher Dienstboten für 25 Jahre | 300,– |
| 46 | Goldenes Kreuz für langjährige Diensttreue weiblicher Dienstboten für 40 Jahre 2. Modell, nach 1904, ohne Namenszug „A" | 400,– |
| 47 | Silbernes Kreuz für langjährige Diensttreue weiblicher Dienstboten für 25 Jahre | 300,– |
| 48 | Goldenes Kreuz für 30-jährige Berufstätigkeit als Hebamme, Ehrenzeichen für Hebammen | 500,– |

Militärische Ehrenzeichen

| | | |
|---|---|---|
| 49 | Friedrichkreuz 1914 – 1918 am Band f. Kämpfer | 70,– |
| | am Band f. Nichtkämpfer | 75,– |
| 50 | Friedrichkreuz als Steckkreuz | 420,– |

49

50

| | | |
|---|---|---|
| 51 | Marienkreuz 1918 | 400,– |

52

53

54

| | | | |
|---|---|---|---|
| | Mil. Dienstauszeichnung 1. Modell, Schnalle | | |
| 52 | 1. Klasse für 21 Jahre | B vg | 250,– |
| 53 | 2. Klasse für 15 Jahre | S | 200,– |
| 54 | 3. Klasse für 9 Jahre | Eisen | 150,– |
| | Mil. Dienstauszeichnung 2. Modell | | |
| 55 | 1. Klasse für 15 Jahre (Kreuz) | Ku | 80,– |
| 56 | 2. Klasse für 12 Jahre (Medaille) | Tombak | 60,– |
| 57 | 3. Klasse für 9 Jahre (Medaille) | Argentan | 40,– |

# Anhalt-Bernburg

## Zivile Ehrenzeichen

| | | |
|---|---|---|
| 59 | Goldene Medaille für Verdienste um Kunst und Wissenschaft | * |
| 60 | Silberne Medaille für Verdienste um Kunst und Wissenschaft | 1 000,– |
| 61 | Medaille für 50-jährige Diensttreue in Gold | * |
| 62 | Medaille für 50-jährige Diensttreue in Silber | 500,– |

63

64

## Militärische Ehrenzeichen

| | | |
|---|---|---|
| 63 | Eiserne Kriegsdenkmünze 1814 – 1815 | 400,– |
| 64 | Alexander-Carl-Denkmünze 1848 – 1849 | 130,– |

| | | |
|---|---|---|
| 65 | Offiziersdienstauszeichnungskreuz für 50 Jahre | * |
| 66 | Offiziersdienstauszeichnungskreuz für 25 Jahre | * |
| 67 | Mil. Dienstauszeichnung 1. Klasse für 21 Jahre | 250,– |
| 68 | Mil. Dienstauszeichnung 2. Klasse für 15 Jahre | 200,– |
| 69 | Mil. Dienstauszeichnung 3. Klasse für 9 Jahre | 150,– |

# Anhalt-Dessau und Anhalt-Bernburg

## Zivile Ehrenzeichen

| | | |
|---|---|---|
| 70 | Rettungsmedaille | 350,– |

# Anhalt-Dessau

## Militärische Ehrenzeichen

| | | |
|---|---|---|
| 71 | Feldzugskreuz 1813 – 1815 | 370,– |

# Anhalt-Köthen

## Orden des Verdienstes

| | | | |
|---|---|---|---|
| 72 | 1. Klasse | G | * |
| 73 | 2. Klasse | S | * |

## Zivile Ehrenzeichen

| | | |
|---|---|---|
| 74 | Goldene Medaille für Verdienst, Anhänglichkeit und Treue | * |
| 75 | Silberne Medaille für Verdienst, Anhänglichkeit und Treue | 500,– |
| 76 | Herzogliche Namenschiffre „F" | 9 000,– |
| 77 | Herzogliche Namenschiffre „H" | * |

## Militärische Ehrenzeichen

| | | |
|---|---|---|
| 78 | Eiserne Kriegsdenkmünze 1813 | 400,– |

| Nr. | Bezeichnung | Preis |
|---|---|---|
| 79 | Eiserne Kriegsdenkmünze 1814 | 400,– |
| 80 | Eiserne Kriegsdenkmünze 1813 – 1814 | 500,– |
| 81 | Eiserne Kriegsdenkmünze 1815 | 350,– |
| 82 | Eiserne Kriegsdenkmünze 1813 –1815 | 400,– |
| 83 | Eiserne Kriegsdenkmünze 1813 – 1814 – 1815 | 400,– |
| 84 | Eiserne Kriegsdenkmünze 1814 – 1815 | 500,– |
| 85 | Offiziersauszeichnungskreuz für 25 Jahre | 2 500,– |
| 86 | Mil. Dienstauszeichnung, 1. Modell<br>mit Monogramm „H", 1. Klasse für 21 Jahre | 250,– |

78–84

86

| Nr. | Bezeichnung | Preis |
|---|---|---|
| 87 | 2. Klasse für 15 Jahre | 200,– |
| 88 | 3. Klasse für 9 Jahre | 150,– |
| 89 | Mil. Dienstauszeichnung, 2. Modell<br>mit Monogramm „L", 1. Klasse für 21 Jahre | 200,– |
| 90 | 2. Klasse für 15 Jahre | 150,– |
| 91 | 3. Klasse für 9 Jahre | 100,– |

# Anhalt-Dessau-Köthen

## Zivile Ehrenzeichen

| Nr. | Bezeichnung | Preis |
|---|---|---|
| 92 | Goldene Medaille für Verdienst um Kunst<br>und Wissenschaft | * |

| | | |
|---|---|---|
| 93 | Silberne Medaille für Verdienst um Kunst und Wissenschaft | 1 000,– |
| 95/1 | Verdienst-Ehrenzeichen für Rettung aus Gefahr | * |

Militärische Ehrenzeichen

| | | |
|---|---|---|
| 96 | Offiziersdienstauszeichnungskreuz für 25 Jahre | 600,– |
| 97 | Mil. Dienstauszeichnung 1. Klasse für 20 bzw. 21 Jahre | 250,– |
| 98 | Mil. Dienstauszeichnung 2. Klasse für 12 bzw. 15 Jahre | 200,– |

98

| | | |
|---|---|---|
| 99 | Mil. Dienstauszeichnung 3. Klasse für 9 Jahre | 150,– |

# Augsburg

Militärische Ehrenzeichen

| | | |
|---|---|---|
| 1 | Denkmünze 1796 f. d. Augsburger Bürgermilitär | 650,– |

1

# Baden

## Hausorden der Treue

| | | |
|---|---|---|
| 1 | Goldene Kette | * |
| 2 | Ordenskreuz Modell bis 1803 | 16 000,– |
| 3 | Ordenskreuz Modell nach 1803 | 7 500,– |
| 4 | Ordenskreuz mit Brillanten | * |
| 5 | Bruststern | 3 000,– |
| 6 | Bruststern mit Brillanten | * |

Militärischer-Karl-Friedrich-Verdienst-Orden

| | | | |
|---|---|---|---|
| 7 | Goldene Kette | | * |
| 8 | Großkreuz | | * |
| 9 | Bruststern | | 5 000,– |
| 10 | Kommandeurkreuz | | 8 000,– |
| 11 | Ritterkreuz | G | 3 500,– |
| | | Sv | 2 500,– |
| 12 | Goldene Medaille<br>1. Modell 1807 – 1810, Stempelschneider H. B. | | * |
| 13 | Silberne Medaille | | * |
| 14 | Goldene Medaille 2. Modell 1810 – 1814,<br>Stempelschneider DOELL | | * |

5

8, 10

8, 10

9

12–27

| | | |
|---|---|---|
| 15 | Silberne Medaille | 2 000,– |
| 16 | Goldene Medaille 3. Modell 1814 – 1845 | * |
| 17 | Silberne Medaille | 1 750,– |
| 18 | Silberne Medaille<br>4. Modell 1848, RS Gravur Gefechtsort | * |
| 19 | Goldene Medaille<br>5. Modell 1849 u. später, Stempelschneider D. F. | * |
| 20 | Silberne Medaille | 1 250,– |
| 21 | Goldene Medaille<br>6. Modell bis 1871, Stempelschneider D | * |
| 22 | Silberne Medaille | 1 000,– |
| 23 | Goldene Medaille<br>7. Modell 1870/71, ohne Stempelschneider,<br>FUR BADENS... | * |
| 24 | Silberne Medaille | 900,– |
| 25 | Silberne Medaille<br>8. Modell 1915 – 1918, FÜR BADENS... | 600,– |
| 26 | Goldene Medaille mit besonderer Umschrift<br>Fahnenmedaille | * |
| 27 | Silberne Medaille mit besonderer Umschrift | * |

Orden vom Zähringer Löwen

| | | |
|---|---|---|
| 28 | Goldene Kette | * |
| 29 | Großkreuz mit Eichenlaub, darauf Chiffre „L" | * |
| 30 | Großkreuz mit Eichenlaub | 3 500,– |
| 31 | Großkreuz mit Eichenlaub und Schwertern | 4 500,– |
| 32 | Großkreuz | 2 500,– |
| 33 | Großkreuz mit Brillanten | * |
| 34 | Großkreuz mit Schwertern | 3 500,– |
| 35 | Großkreuz mit Schwertern und Brillanten | * |
| 36 | Bruststern zum Großkreuz | 1 550,– |

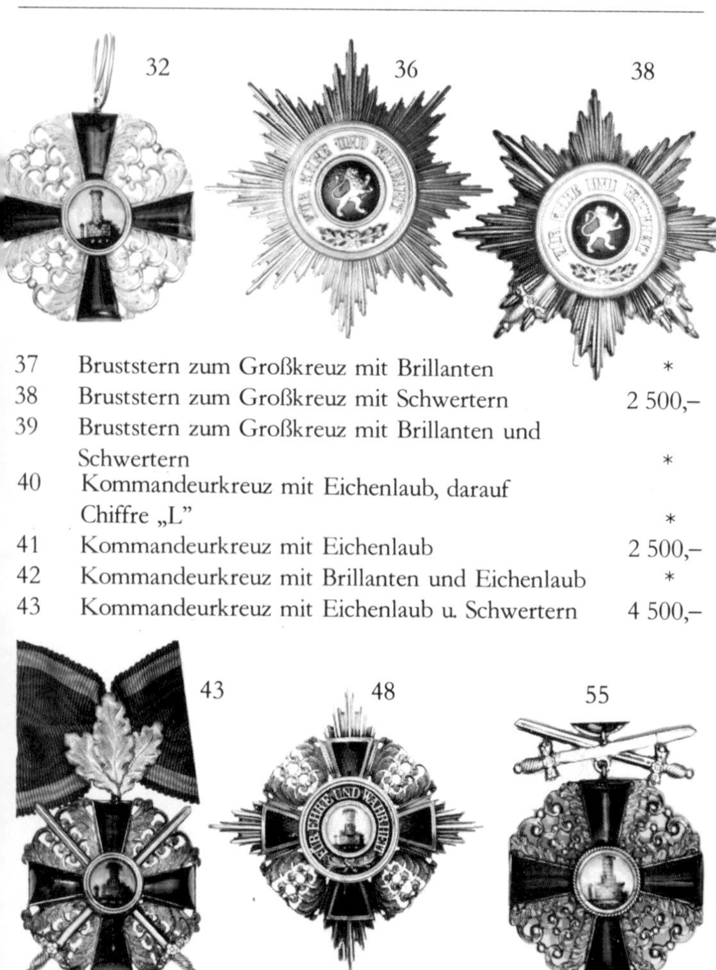


| | | |
|---|---|---|
| 37 | Bruststern zum Großkreuz mit Brillanten | * |
| 38 | Bruststern zum Großkreuz mit Schwertern | 2 500,– |
| 39 | Bruststern zum Großkreuz mit Brillanten und Schwertern | * |
| 40 | Kommandeurkreuz mit Eichenlaub, darauf Chiffre „L" | * |
| 41 | Kommandeurkreuz mit Eichenlaub | 2 500,– |
| 42 | Kommandeurkreuz mit Brillanten und Eichenlaub | * |
| 43 | Kommandeurkreuz mit Eichenlaub u. Schwertern | 4 500,– |

| | | |
|---|---|---|
| 44 | Kommandeurkreuz | 1 450,– |
| 45 | Kommandeurkreuz mit Brillanten | * |
| 46 | Kommandeurkreuz mit Schwertern | 2 000,– |
| 47 | Kommandeurkreuz mit Schwertern am Ring | * |
| 48 | Bruststern zum Kommandeurkreuz | 2 200,– |
| 49 | Bruststern mit Schwertern zum Kommandeurkreuz | 3 500,– |
| 50 | Ritterkreuz 1. Klasse mit Eichenlaub | 750,– |
| 51 | Ritterkreuz 1. Klasse mit Eichenlaub, darauf Chiffre „L" | * |
| 52 | Ritterkreuz 1. Klasse mit Eichenlaub und Schwertern | 1 100,– |
| 53 | Ritterkreuz 1. Klasse | 550,– |
| 54 | Ritterkreuz 1. Klasse mit Schwertern | 800,– |
| 55 | Ritterkreuz 1. Klasse mit Schwertern am Ring | * |
| 56 | Ritterkreuz 2. Klasse mit Eichenlaub | 300,– |
| 57 | Ritterkreuz 2. Klasse m. Eichenlaub u. Schwertern | 400,– |
| 58 | Ritterkreuz 2. Klasse | 225,– |
| 59 | Ritterkreuz 2. Klasse mit Schwertern | 300,– |
| 60 | Ritterkreuz 2. Klasse mit Schwertern am Ring | * |
| 61 | Verdienstkreuz | 250,– |

61

63, 68, 72

65

## Baden

### Orden Berthold des Ersten

| Nr. | Bezeichnung | Preis |
|---|---|---|
| 62 | Goldene Kette | * |
| 63 | Großkreuz | 6 500,– |
| 64 | Großkreuz mit Schwertern | * |
| 65 | Bruststern zum Großkreuz | 3 000,– |
| 66 | Bruststern zum Großkreuz mit Brillanten | * |
| 67 | Bruststern zum Großkreuz mit Schwertern | * |
| 68 | Kommandeurkreuz | 4 500,– |
| 69 | Kommandeurkreuz mit Schwertern | * |
| 70 | Bruststern zum Kommandeurkreuz 1. Klasse | 4 000,– |
| 71 | Bruststern zum Kommandeurkreuz 1. Klasse mit Schwertern | * |
| 72 | Ritterkreuz | 2 250,– |
| 73 | Ritterkreuz mit Schwertern | * |

71

### Zivile Ehrenzeichen

| Nr. | Bezeichnung | Preis |
|---|---|---|
| 74 | Große VM für Vorgesetzte u. kleinere Verdienste | * |
| 75 | Kleine VM für Vorgesetzte u. kleinere Verdienste | * |
| 76 | Goldene ZVM (Markgraf Karl Friedrich, Stempel von 1798, Stempelschneider BÜCKLE, RS Umschrift mit Eichenkranz) | * |
| 77 | Silberne ZVM | * |
| 78 | Goldene ZVM (Großherzog Karl Friedrich, Stempel von 1798, Stempelschneider BÜCKLE, RS Badenia) | * |

| | | |
|---|---|---|
| 79 | Silberne ZVM | * |
| 80 | Mittlere (Kleine) Goldene ZVM (Großherzog Karl Friedrich, Stempel von 1810, Stempelschneider BÜCKLE/DOELL) | * |
| 81 | Goldene ZVM (Großherzog Carl Ludwig) | * |
| 82 | Silberen ZVM | * |
| 83 | Große Goldene ZVM (Großherzog Ludwig, Stempelschneider DOELL) | * |
| 84 | Mittlere Goldene ZVM | * |
| 85 | Silberne ZVM | * |
| 86 | Kleine Goldene ZVM (Großherzog Ludwig, Stempelschneider DOELL) | * |
| 87 | Große Goldene ZVM (Großherzog Ludwig, Stempelschneider KACHEL) | * |
| 88 | Mittlere Goldene ZVM | * |
| 89 | Silberne ZVM | * |
| 90 | Große Goldene ZVM (Großherzog Leopold, Stempelschneider KACHEL) | * |
| 91 | Mittlere Goldene ZVM | * |
| 92 | Silberne ZVM | 1 500,– |
| 93 | Kleine Goldene ZVM (Großherzog Leopold, Stempelschneider DOELL, Prägevarianten) | * |
| 94 | Große Goldene ZVM (Großherzog Leopold, Stempelschneider DOELL) | * |
| 95 | Silberne ZVM | 600,– |
| 96 | Große Goldene ZVM (Prinz-Regent Friedrich, Stempelschneider KACHEL) | * |
| 97 | Silberne ZVM | 1 500,– |

| Nr. | Bezeichnung | Preis |
|---|---|---|
| 98 | Kleine Goldene ZVM (Prinz-Regent Friedrich, Stempelschneider KACHEL) | * |
| 99 | Große Goldene ZVM (Großherzog Friedrich I., Jugendbildnis) | * |
| 100 | Mittlere Goldene ZVM | * |
| 101 | Silberne ZVM | 1 000,– |
| 102 | Kleine Goldene ZVM (Großherzog Friedrich I., Jugendbildnis) | 1 450,– |

99–102

103–105

| Nr. | Bezeichnung | Preis |
|---|---|---|
| 103 | Große Goldene VM (Großherzog Friedrich I., Stempelschneider SCHNITZSPAHN) | 2 000,– |
| 104 | Silberne VM | 130,– |
| 105 | Kleine Goldene VM (Großherzog Friedrich I., Stempelschneider SCHNITZSPAHN) | 900,– |
| 106 | Große Goldene VM (Großherzog Friedrich I., ohne Stempelschneider) | 2 000,– |
| 107 | Silberne VM | 80,– |
| 108 | Kleine Goldene VM (Großherzog Friedrich I., ohne Stempelschneider) | 650,– |

| Nr. | Bezeichnung | | Preis |
|---|---|---|---|
| 109 | Große Goldene VM | G | 2 000,– |
| | (Großherzog Friedrich II.) | Sv | 100,– |
| | | KM vg | 100,– |
| 110 | Silberne VM | | 20,– |
| | | KM vs | 10,– |
| 111 | Kleine Goldene VM | | 450,– |
| | (Großherzog Friedrich II.) | Sv | 100,– |
| | | KM vg | 100,– |
| 112 | Jubiläumsmedaille 1902 | G | 2 500,– |
| 113 | Jubiläumsmedaille 1902 | B | 10,– |
| 114 | Friedrich Luisenmedaille | | 60,– |

120, 121

109, 110

112, 113

| Nr. | Bezeichnung | | Preis |
|---|---|---|---|
| 115 | Erinnerungsmedaille für 1906 | | 500,– |
| 116 | Erinnerungszeichen für 1906, mit Brillanten | | * |
| 117 | –, mit Nadel und emailliertem „F" für Fürstlichkeiten | | 2 000,– |
| 118 | –, mit Ring und emailliertem „F" für Fürstlichkeiten | | 2 000,– |
| 119 | –, mit Nadel | vg | 800,– |
| 120 | –, mit Ring | vg | 800,– |
| 121 | –, mit Ring | vs | 400,– |

## Rettungsmedaillen

| Nr. | Bezeichnung | Preis |
|---|---|---|
| 122 | Silberne Rettungsmedaille (Großherzog Friedrich I., Stempelschneider SCHNITZSPAHN) | 1 000,– |
| 123 | Kleine Goldene Rettungsmedaille (Großherzog Friedrich I., Stempelschneider SCHNITZSPAHN) | * |
| 124 | Silberne Rettungsmedaille (Großherzog Friedrich I., ohne Stempelschneider) | 600,– |
| 125 | Kleine Goldene Rettungsmedaille (Großherzog Friedrich I., ohne Stempelschneider) | * |
| 126 | Silberne Rettungsmedaille (Großherzog Friedrich II.) | 1 000,– |
| 127 | Kleine Goldene Rettungsmedaille (Großherzog Friedrich II.) | * |

## Medaillen für KuW

| Nr. | Bezeichnung | Preis |
|---|---|---|
| 128 | Goldene Medaille für Kunst und Wissenschaft (Großherzog Friedrich I., Stempelschneider SCHNITZSPAHN) | * |
| 129 | Silberne Medaille für Kunst und Wissenschaft | 1 500,– |
| 130 | Goldene Medaille für Kunst und Wissenschaft (Großherzog Friedrich I., ohne Stempelschneider) | * |
| 131 | Silberne Medaille für Kunst und Wissenschaft | 1 500,– |
| 132 | Goldene Medaille für Kunst und Wissenschaft (Großherzog Friedrich II.) | * |
| 133 | Silberne Medaille für Kunst und Wissenschaft | 1 500,– |

## Feuerwehr

| Nr. | Bezeichnung | Preis |
|---|---|---|
| 134 | Ehrenzeichen für Mitglieder der freiwilligen Feuerwehren nach 40 Dienstjahren | 180,– |

| | | | |
|---|---|---|---|
| 135 | –, nach 25 Dienstjahren | | 35,– |

Dienstauszeichnungen

| | | | |
|---|---|---|---|
| 136 | Medaille für Arbeiter und männliche Dienstboten 1. Modell "GROSHERZOG" | | 70,– |
| 137 | –, 2. Modell "GROSSHERZOG" | B | 140,– |
| | | Eisen vk | 140,– |
| 138 | Dienstauszeichnung für die Krankenschwestern des Badischen Frauenvereins, für 40 Jahre | | 600,– |
| 139 | –, für 35 Jahre | | 500,– |
| 140 | –, für 30 Jahre | | 450,– |
| 141 | –, für 25 Jahre | | 400,– |
| 142 | –, für 20 Jahre | | 350,– |
| 143 | –, für 15 Jahre | | 300,– |
| 144 | –, für 10 Jahre | | 250,– |
| 145 | Kreuz für weibliche Dienstboten, für mehr als 60 Dienstjahre | | * |
| 146 | –, für mehr als 50 Dienstjahre | | 600,– |
| 147 | –, für mehr als 40 Dienstjahre | | 500,– |
| 148 | –, für mehr als 25 Dienstjahre | | 400,– |
| 149 | Jubiläumsmedaille für Hebammen, FUER 40 JAHRE | | 500,– |
| 150 | –, FUER 35 JAHRE | | 450,– |
| 151 | –, FUER 25 JAHRE | | 400,– |
| 152 | –, nach 25 Dienstjahren (Inschrift "FUER TREUEN DIENST") | S | 300,– |
| 153 | –, nach 40 Dienstjahren | Sv | 400,– |
| 154 | –, mit goldener Schleife f. mehr als 50 Dienstjahre | | * |
| 155 | Arbeiterinnenkreuz, nach 50 Dienstjahren | Sv | 500,– |
| 156 | –, nach 30 Dienstjahren | S | 400,– |
| 157 | Allgemeines Kreuz für weibliche Personen, im Samtrahmen | | * |

| | | | |
|---|---|---|---|
| 158 | –, in Gold | Sv | 500,– |
| 159 | –, in Silber | S | 400,– |
| 160 | Auszeichnung f. Lehrerinnen, Vorsteherinnen, Hausmütter usw. an öffentlichen Lehr- oder Wohltätigkeitsanstalten, nach 40 Dienstjahren | Sv | 500,– |
| 161 | –, nach 25 Dienstjahren | S | 400,– |
| 162 | –, ohne Jahreszahlen | | * |
| 163 | Ehrenzeichen für Landkrankenpflegerinnen | | * |
| 164 | Brosche für Verdienste in den Anstalten des Badischen Frauenvereins, in Gold | Sv | * |
| 165 | –, in Silber | | 500,– |

Militärische Ehrenzeichen

| | | |
|---|---|---|
| 166 | Felddienst-Auszeichnung, verliehen mit 18 verschiedenen Spangen, häufig "1866" u. "1870 – 1871" (Aufschlag 40,–DM) | 40,– |
| 167 | Felddienst-Auszeichnung für Teilnehmer an den Gefechten 1848 RS Gravur Gefechtsort | * |

135 168 1

| | | | |
|---|---|---|---|
| 168 | Gedächtnismedaille von 1849 | | 50,– |
| 169 | Erinnerungskreuz für 1870 – 1871 | | 180,– |
| 170 | Kreuz für freiwillige Kriegshilfe 1914 – 1916 | | 60,– |
| | | KM vg | 40,– |
| 171 | –, mit Eichenkranz | | 200,– |
| | | KM vg | 150,– |
| 172 | Kriegsverdienstkreuz | | 70,– |
| | | KM vg | 40,– |
| 173 | Dienstauszeichnungskreuz der Offiziere, für 40 Dienstjahre 1.Modell, Malteserkreuz mit Krone | | 1 000,– |
| 174 | –, für 25 Dienstjahre (ohne Krone) | | 600,– |
| 175 | Dienstauszeichnungskreuz, 1. Klasse (Geschweifte Arme mit Krone) | | 500,– |
| 176 | –, 2. Klasse (ohne Krone) | | 350,– |
| 177 | Schnalle für Unteroffiziere und Soldaten, nach 25 Dienstjahren | | 500,– |
| 178 | –, nach 18 Dienstjahren | | 350,– |
| 179 | –, nach 12 Dienstjahren | | 250,– |
| 180 | Dienstauszeichnung (Schnalle), 1. Klasse für 21 Dienstjahre | | 400,– |

171

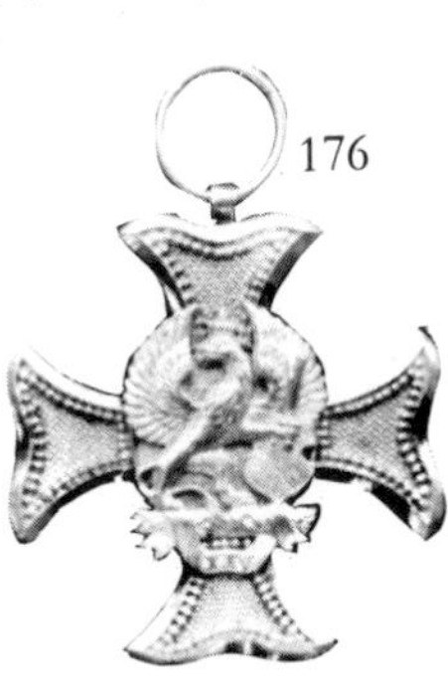
176

188

| | | | |
|---|---|---|---|
| 181 | –, 2. Klasse für 15 Dienstjahre | | 300,– |
| 182 | –, 3. Klasse für 9 Dienstjahre | | 150,– |
| 183 | Dienstauszeichnung (Kreuz), 1. Klasse für 15 Dienstjahre | | 80,– |
| 184 | –, (Medaille) 2. Klasse für 12 Dienstjahre | | 60,– |
| 185 | –, (Medaille) 3. Klasse für 9 Dienstjahre | | 40,– |
| 186 | Landwehrdienst-Auszeichnung 1. Modell, Schnalle | | 50,– |
| 187 | Landwehrdienst-Auszeichnung 2. Modell, Medaille | | 45,– |
| 188 | Erinnerungsmedaille für die dem Badischen Militärvereins-Verband angehörenden Vereine, in Gold mit Krone | B vg | * |
| 189 | –, in Silber | B vs | 500,– |

# Bamberg

Orden Pour le Mérite

| | | |
|---|---|---|
| 1 | Ordenskreuz | * |

Militärische Ehrenzeichen

| | | |
|---|---|---|
| 2 | Goldene Militärverdienstmedaille | * |
| 3 | Silberne Militärverdienstmedaille | 1 500,– |

# Bayern

## Haus-Ritter-Orden vom Heiligen Hubertus

| | | |
|---|---|---|
| 1 | Kollane | * |
| 2 | Kreuz zur Kollane | * |
| 3 | Ordenskreuz | 20 000,– |
| 4 | Bruststern | 3 000,– |
| 5 | Abzeichen der Ordensbeamten | * |

3 4 7, 9, 11

## Militärischer Haus-Ritter-Orden vom Heiligen Georg

| | | |
|---|---|---|
| 6 | Kollane | * |
| 7 | Großkreuz | 18 000,– |
| 8 | Bruststern der Großkreuze | 3 000,– |
| 9 | Komturkreuz | 9 000,– |
| 10 | Bruststern der Komturkreuze | 2 500,– |

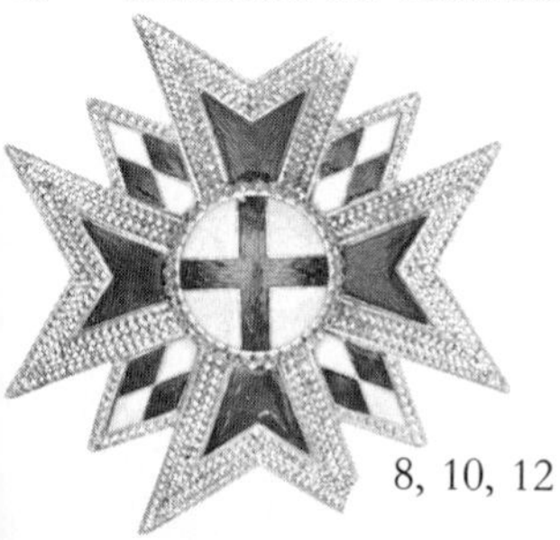
8, 10, 12

8, 10, 12

| | | |
|---|---|---|
| 11 | Ritterkreuz | 6 000,– |
| 12 | Bruststern der Ritterkreuze | 2 000,– |
| 13 | Abzeichen der Ordensbeamten | * |
| 14 | Jubiläumsmedaille | 4 000,– |

13 14

16

Haus-Ritter-Orden vom Heiligen Michael

| | | |
|---|---|---|
| 15 | Kollane | * |
| 16 | Ordenskreuz | * |
| 17 | Bruststern | * |

19

Orden vom Pfälzer Löwen

| | | |
|---|---|---|
| 18 | Kollane | * |
| 19 | Ordenskreuz | 20 000,– |
| 20 | Bruststern | 10 000,– |

## Militär-Max-Joseph-Orden

| Nr. | Bezeichnung | Preis |
|---|---|---|
| 21 | Churbairisches Militär-Ehrenzeichen | * |
| 22 | Großkreuz (Schärpendekoration) | * |
| 23 | Großkreuz (Halsdekoration) | * |
| 24 | Bruststern zum Großkreuz | 5 000,– |
| 25 | Komturkreuz | 12 000,– |
| 26 | Ritterkreuz | 6 000,– |
| 27 | Archivarkreuz | * |

22, 23, 25 24 26

28, 30, 32 29

## Civil-Verdienstorden der Bayerischen Krone

| | | |
|---|---|---|
| 28 | Großkreuz | 10 000,– |
| 29 | Bruststern zum Großkreuz | 3 000,– |
| 30 | Komturkreuz | 4 500,– |
| 31 | Bruststern zum Großkomturkreuz | 3 000,– |
| 32 | Ritterkreuz | 3 000,– |
| 33 | Goldene Medaille (Prägevarianten) | 2 000,– |
| 34 | Silberne Medaille (Prägevarianten) | 200,– |

33, 34

## Königlicher Verdienstorden vom Heiligen Michael

| | | |
|---|---|---|
| 35 | Großkreuz | 6 500,– |
| 36 | Bruststern zum Großkreuz | 3 000,– |
| 37 | Kreuz I. Klasse (bis 1887 Kommandeur 1. Klasse) | 4 500,– |
| 38 | Bruststern zur 1. Klasse | 2 000,– |

35, 37 36, 38

| | | |
|---|---|---|
| 39 | Kreuz 2. Klasse | 2 300,– |
| 40 | Bruststern zur 2. Klasse | 2 200,– |
| 41 | Ritterkreuz 1. Klasse (bis 1887) | 2 000,– |
| 42 | Ehrenkreuz | 1 350,– |

40 41 42

| | | |
|---|---|---|
| 43 | Kreuz 3. Klasse | 1 100,– |
| 44 | Ritterkreuz 2. Klasse bis 1887 | 2 000,– |
| 45 | Kreuz 4. Klasse mit Krone | 425,– |
| 46 | Kreuz 4. Klasse ohne Krone | 325,– |
| 47 | Verdienstkreuz mit Krone | 400,– |

46

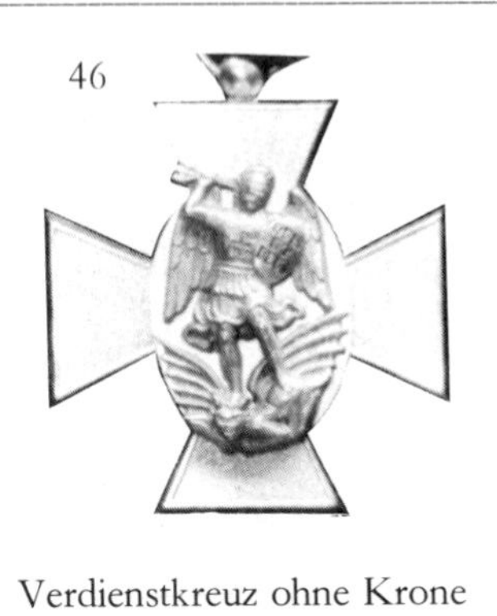

49,50

48 Verdienstkreuz ohne Krone 235,–
49 Silberne Medaille 180,–
50 Bronzene Medaille 130,–

Militär-Verdienstorden

51 Großkreuz mit Krone 8 000,–
52 Großkreuz mit Krone und Schwertern 6 000,–
53 Großkreuz 4 500,–
54 Großkreuz mit Schwertern 5 000,–
55 Bruststern zum Großkreuz 3 000,–
56 Bruststern zum Großkreuz mit Schwertern 3 500,–
57 Kreuz 1. Klasse mit Krone 5 500,–
58 Kreuz 1. Klasse mit Krone und Schwertern 4 500,–
59 Kreuz 1. Klasse 3 500,–
60 Kreuz 1. Klasse mit Schwertern 4 000,–
61 Bruststern zur 1. Klasse 2 000,–
62 Bruststern zur 1. Klasse mit Schwertern 2 500,–
63 Kreuz 2. Klasse mit Krone 4 000,–
64 Kreuz 2. Klasse mit Krone und Schwertern 3 000,–
65 Kreuz 2. Klasse 2 100,–

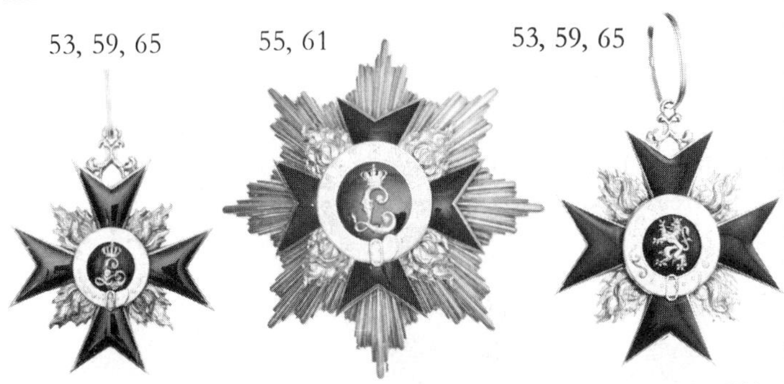
53, 59, 65 — 55, 61 — 53, 59, 65

| | | |
|---|---|---|
| 66 | Kreuz 2. Klasse mit Schwertern | 2 500,– |
| 67 | Bruststern zur 2. Klasse | 2 000,– |
| 68 | Bruststern zur 2. Klasse mit Schwertern | 2 450,– |
| 69 | Offizierskreuz (ohne Flammen) | 1 800,– |
| 70 | Offizierskreuz mit Schwertern (ohne Flammen) | 2 000,– |
| 71 | Offizierskreuz (mit Flammen) | 1 400,– |

56, 62 — 68 — 67

| | | | |
|---|---|---|---|
| 72 | Offizierskreuz mit Schwertern (mit Flammen) | | 1 400,– |
| 73 | Kreuz 3. Klasse mit Krone | | 2 000,– |
| 74 | Kreuz 3. Klasse mit Krone und Schwertern | | 1 400,– |
| 75 | Kreuz 3. Klasse | | 1 150,– |
| 76 | Kreuz 3. Klasse mit Schwertern | | 1 150,– |
| 77 | Kreuz 4. Klasse mit Krone | | 550,– |

71

72

81, 83

| | | | |
|---|---|---|---|
| 78 | Kreuz 4. Klasse mit Krone und Schwertern | | 290,– |
| 79 | Kreuz 4. Klasse (bis 1905 Ritterkreuz 1. Klasse) | | 200,– |
| 80 | Kreuz 4. Klasse mit Schwertern (bis 1905 Ritterkreuz 1. Klasse) | | 230,– |
| 81 | Ritterkreuz 2. Klasse (ohne Flammen) | G | 550,– |
| 82 | Ritterkreuz 2. Klasse mit Schwertern (ohne Flammen) | G | 600,– |
| 83 | Verdienstkreuz 1. Modell | S | 400,– |
| 84 | Verdienstkreuz mit Schwertern 1. Modell | S | 400,– |
| 85 | Verdienstkreuz 2. Modell 1. Klasse (Zentrum emailliert) | S | 400,– |
| 86 | Verdienstkreuz 2. Modell 1. Klasse mit Schwertern (Zentrum emailliert) | S | 450,– |

82

90, 94

| | | | |
|---|---|---|---|
| 87 | Verdienstkreuz 2. Modell 2. Klasse (Zentrum nicht emailliert) | S | 250,– |
| 88 | Verdienstkreuz 2. Modell 2. Klasse mit Schwertern (Zentrum emailliert) | S | 300,– |
| 89 | MVK | | |
| 89 | MVK 1. Klasse mit Krone | | 350,– |
| 90 | MVK 1. Klasse mit Krone und Schwertern | | 275,– |
| 91 | MVK 1. Klasse | | 250,– |
| 92 | MVK 1. Klasse mit Schwertern | | 200,– |
| 93 | MVK 2. Klasse mit Krone | | 200,– |
| 94 | MVK 2. Klasse mit Krone und Schwertern | | 150,– |
| 95 | MVK 2. Klasse | | 150,– |
| 96 | MVK 2. Klasse mit Schwertern | | 135,– |
| 97 | MVK 3. Klasse mit Krone | | 150,– |
| 98 | MVK 3. Klasse mit Krone und Schwertern | | 30,– |
| 99 | MVK 3. Klasse | | 60,– |
| 100 | MVK 3. Klasse mit Schwertern | | 30,– |

## Maximilian-Orden für Kunst und Wissenschaft

| | | |
|---|---|---|
| 101 | Kreuz der Abteilung für Wissenschaft (Uhu) | 6 000,– |
| 102 | Kreuz der Abteilung für Kunst (Pegasus) | 6 000,– |

## Ludwigs-Orden

| | | | |
|---|---|---|---|
| 103 | Ehrenkreuz | | 6 000,– |
| 104 | Ehrenmünze | G | 1 500,– |

103

105, 106

108

## Militär-Sanitäts-Orden

| | | |
|---|---|---|
| 105 | Kreuz 1. Klasse | * |
| 106 | Kreuz 2. Klasse | 1 800,– |

## Elisabeth-Orden

| | | |
|---|---|---|
| 107 | Kreuz der Großmeisterin in Brillanten | * |
| 108 | Großes Ordenskreuz | * |
| 109 | Kreuz der Ordensdamen | 5 200,– |
| 110 | Kreuz der Ordensbeamten | * |

## Theresien-Orden

| | | |
|---|---|---|
| 111 | Ordenskreuz | 2 850,– |

## Ehrenkreuz des St. Annen-Ordens

| | | |
|---|---|---|
| 112 | Münchner Stiftskreuz | 1 200,– |
| 113 | Würzburger Stiftskreuz | 5 000,– |

109

111

112

## Zivile Ehrenzeichen

| | | | |
|---|---|---|---|
| | Zivilverdienstmedaillen | | |
| 114 | Silberne ZVM, Modell 1792 (Bildnis Churfürst Carl Theodor) | | 1 500,– |
| 115 | Goldene ZVM, Modell 1805 (Bildnis Churfürst Carl Theodor) | | * |
| 116 | Silberne ZVM Das Modell siehe unter Nr. 33–34 | | 1 000,– |
| 117 | Prinzregent Luitpold-Medaille 1905 in Gold | | 1 000,– |
| 118 | Prinzregent Luitpold-Medaille 1905 in Silber | | 140,– |
| 119 | Prinzregent Luitpold-Medaille 1905 in Bronze | | 15,– |
| 120 | Prinzregent Luitpold-Medaille in Gold mit der Krone und den Jahreszahlen 1821 – 1911 | | 2 000,– |
| 121 | Prinzregent Luitpold-Medaille in Silber | | 350,– |
| 122 | Prinzregent Luitpold-Medaille in Bronze | | 120,– |
| 123 | König Ludwig-Kreuz 1916 | | 25,– |
| 124 | Erinnerungszeichen zur goldenen Hochzeit des Königspaares 1918 | | 800,– |
| 125 | Jubiläumsmedaille zur goldenen Hochzeit des Königspaares 1918 (Brustbilder) | KM | 60,– |

120 121, 122 124 129

| | | |
|---|---|---|
| 126 | Jubiläumsmedaille zur goldenen Hochzeit/ Jubelpaar in Eisen | 30,– |
| 127 | Erinnerungskreuz für die Kammermitglieder zum 100-jährigen Verfassungsjubiläum | 500,– |
| 128 | Verdienstkreuz für freiwillige Krankenpflege | 120,– |
| 129 | Lebensrettungsmedaille | 180,– |
| 130 | Landwirtschaftliche Jubiläumsmedaille 1910 in Gold | * |
| 131 | Landwirtschaftliche Jubiläumsmedaille 1910 in Silber | 300,– |
| 132 | Landwirtschaftliche Jubiläumsmedaille 1910 in Bronze | 180,– |
| 133 | Feuerwehr-Verdienstkreuz | 75,– |
| 134 | Ludwigs-Medaille für KuW in Gold | 1 500,– |
| 135 | Ludwigs-Medaille für KuW in Silber | 600,– |
| 136 | Ludwigs-Medaille für Industrie in Gold | 2 000,– |
| 137 | Ludwigs-Medaille für Industrie in Silber | 500,– |
| 138 | Luitpoldkreuz für 40 Dienstjahre bei Staat und Gemeinde | 50,– |

| | | |
|---|---|---|
| 139 | Silberne Medaille für 40 Dienstjahre der Arbeiter in der Heereswerkstätten | 400,– |
| 140 | Bronzene Medaille wie vor für 25 Dienstjahre | 200,– |
| 141 | Sicherheitsdienstauszeichnung 1. Klasse für 35 Jahre in der Gendarmerie | 300,– |
| 142 | Sicherheitsdienstauszeichnung 2. Klasse für 20 Jahre | 150,– |
| 143 | Feuerwehrehrenzeichen für 25-jährige Dienstzeit | 30,– |
| 144 | Dienstauszeichnung für freiwillige Krankenpflege für 20-jährige Tätigkeit | 40,– |

139, 140

143

## Militärische Ehrenzeichen

Militärverdienstmedaille Tapferkeitsmedaille

| | | |
|---|---|---|
| 145 | Goldene Medaille, Modell 1794 (Bildnis Carl Theodor) | * |
| 146 | Silberne Medaille | 2 000,– |
| 147 | Goldene Medaille, Modell 1799 (Bildnis Churfürst Max Joseph) | * |
| 148 | Silberne Medaille | 1 800,– |

| Nr. | Bezeichnung | | Preis |
|---|---|---|---|
| 149 | Goldene Medaille, Modell 1806 (Bildnis König Max Joseph, Stempel von Losch) | | * |
| 150 | Silberne Medaille | | 1 200,– |
| 151 | Goldene Medaille, Modell 1848 (wie vor, ohne Stempelschneidername) | | 4 000,– |
| 152 | Silberne Medaille | | 750,– |
| 153 | Goldene Medaille, Modell 1870 (Bildnis Max Joseph, Stempel von Ries) | G | 2 500,– |
| | | Sv | 1 000,– |
| 154 | Silberne Medaille | | 775,– |
| 155 | Goldene Militär-Sanitätsmedaille (Prägevarianten) | | * |
| 156 | Silberne Militär-Sanitätsmedaille | | 1 500,– |
| 157 | Veteranendenkzeichen für die Feldzüge 1790 – 1812 | | 70,– |

149, 152  153, 154  157

| Nr. | Bezeichnung | Preis |
|---|---|---|
| 158 | Militärdenkzeichen 1813 – 1815, Halskreuz des Fürsten Wrede | * |
| 159 | Militärdenkzeichen 1813 – 1815 | 65,– |
| 160 | Medaille des Militärdenkzeichens 1813 – 1815 für Militärbeamte | 600,– |

| | | |
|---|---|---|
| 161 | Medaille für die Niederschlagung des Pfälzer Aufstandes 1849 | 245,– |
| 162 | Kreuz für den Feldzug 1849 gegen Dänemark | 325,– |
| 163 | Kreuz für den Feldzug 1866, Halskreuz mit Emaille für Prinz Carl von Bayern | * |
| 164 | Kreuz für den Feldzug 1866 | 35,– |

159 160 161

162 164 165

| | | |
|---|---|---|
| 165 | Kreuz für Zivilärzte für den Feldzug 1866 | 660,– |
| 166 | Sanitätsverdienstkreuz 1870 – 1871 | 275,– |

| | | | |
|---|---|---|---|
| 167 | Verdienstkreuz für freiwillige Krankenpflege mit der Spange „1870/71" | | 250,– |
| 168 | Silberne Inhaber-Jubiläumsmedaille für das K. u. K. Corps-Artillerie-Regiment No. 10 1904 | | 400,– |
| 169 | Bronzene Inhaber-Jubiläumsmedaille | | 300,– |
| 170 | Jubiläumsmedaille für die Armee 1905 | | 15,– |
| 171 | Goldene Jubiläumsmedaille mit der Krone und den Jahreszahlen 1839 – 1909 | G | 2 000,– |
| 172 | Vergoldete Medaille wie vor | vg | 275,– |
| 173 | Goldene Jubiläumsmedaille mit der Krone und den Jahreszahlen 1821 – 1911 | vg | 400,– |
| 174 | Bronzene Jubiläumsmedaille wie vor | | 400,– |
| 175 | Verdienstkreuz für freiwillige Krankenpflege mit der silbernen Krone und der Spange „1914" | | 2 000,– |

166 166

171, 172

175

| | | |
|---|---|---|
| 176 | Verdienstkreuz für freiwillige Krankenpflege mit der Spange „1914" | 175,– |
| 176a | Verdienstkreuz für freiwillige Krankenpflege | 150,– |
| 177 | Jubiläumskreuz für das K. u. K Infanterieregiment Nr. 62 | 500,– |
| 178 | Veteranenschild für 40-jährige Dienstzeit in der Armee | 600,– |

179 Veteranenschild für 24-jährige Dienstzeit in der Armee 500,–

178 179 180

180 Mil. Dienstauszeichnungskreuz 1. Klasse für 40 Jahre 225,–

181 Mil. Dienstauszeichnungskreuz 2. Klasse für 24 Jahre
- in heller Bronze 50,–
- in dunkler Bronze 45,–

182 Mil. Dienstauszeichnung (Schnallen) 1. Klasse für 21 Jahre 100,–

183 2. Klasse für 15 Jahre 60,–

184 3. Klasse für 9 Jahre 50,–

183, 184 189

| | | |
|---|---|---|
| 185 | Militärdienstauszeichnung (Kreuz bzw. Medaillen) 1. Klasse für 15 Jahre | 60,– |
| 186 | 2. Klasse für 12 Jahre | 40,– |
| 187 | 3. Klasse für 9 Jahre | 30,– |
| 188 | Landwehrdienstauszeichnung 1. Klasse | 50,– |
| 189 | Landwehrdienstauszeichnung 2. Klasse (Schnalle) | 40,– |
| 190 | Landwehrdienstauszeichnung 2. Klasse (Medaille) | 25,– |
| 191 | Luitpold-Medaille für 50 Jahre bestehende Kriegervereine | 200,– |
| 192 | Flugzeugführerabzeichen | 1 000,– |
| 193 | Flugzeugbeobachterabzeichen | 1 100,– |
| 194 | Fliegerschützenabzeichen | 1 200,– |
| 195 | Fliegererinnerungsabzeichen | 1 200,– |

192 193 195

# Brandenburg-Bayreuth

## Ordre de la Concorde

| | | |
|---|---|---|
| 1 | Kreuz | * |

## Ordre de la Sincérité

| | | |
|---|---|---|
| 2 | Kreuz 1. Modell | * |
| 3 | Kreuz 2. Modell | * |
| 4 | Bruststern | * |

## Roter Adler-Orden

| | | |
|---|---|---|
| 5 | Kreuz 1. Modell | * |
| 6 | Bruststern | * |
| 7 | Kollane | * |
| 8 | Kreuz 2. Modell | * |
| 9 | Bruststern | * |

1

2

3

# Braunschweig

## Vorläuferorden vom Orden Heinrich des Löwen

| | | |
|---|---|---|
| 1 | Großkreuz | * |
| 2 | Bruststern | * |

## Hausorden Heinrich des Löwen

| | | |
|---|---|---|
| 4 | Kollane | * |
| 5 | Großkreuz | 5 000,– |
| 6 | Großkreuz mit Schwertern unter dem Kreuz | * |
| 7 | Großkreuz mit Schwertern durch die Mitte | 8 000,– |
| 8 | Großkreuz mit Schwertern am Ring | * |
| 9 | Bruststern zum Großkreuz | 2 150,– |
| 10 | Bruststern zum Großkreuz mit Schwertern | 4 000,– |
| 11 | Kreuz 1. Klasse | 1 850,– |
| 12 | Kreuz 1. Klasse mit Schwertern | * |
| 13 | Kreuz 1. Klasse mit Schwertern am Ring | * |
| 14 | Bruststern zur 1. Klasse | 2 500,– |
| 15 | Bruststern zur 1. Klasse mit Schwertern | 6 000,– |
| 16 | Kommandeurkreuz | 2 500,– |

9

11

13

| | | |
|---|---|---|
| 17 | Kommandeurkreuz mit Schwertern unter dem Kreuz | 4 500,– |

4,5

| | | |
|---|---|---|
| 18 | Kommandeurkreuz mit Schwertern durch die Mitte | 4 000,– |
| 19 | Kommandeurkreuz mit Schwertern am Ring | 4 000,– |

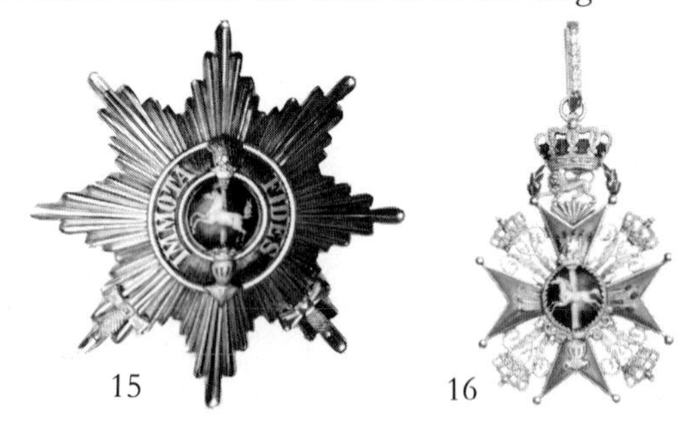

15 16

| | | |
|---|---|---|
| 20 | Bruststern zum Komm. 1. Klasse | 1 650,– |
| 21 | Bruststern zum Komm. mit Schwertern | 2 500,– |
| 22 | Offizierssteckkreuz | 725,– |
| 23 | Offizierssteckkreuz mit Schwertern | 1 200,– |
| 24 | Ritterkreuz 1. Klasse | 900,– |
| 25 | Ritterkreuz 1. Klasse mit Schwertern unter dem Kreuz | 1 500,– |

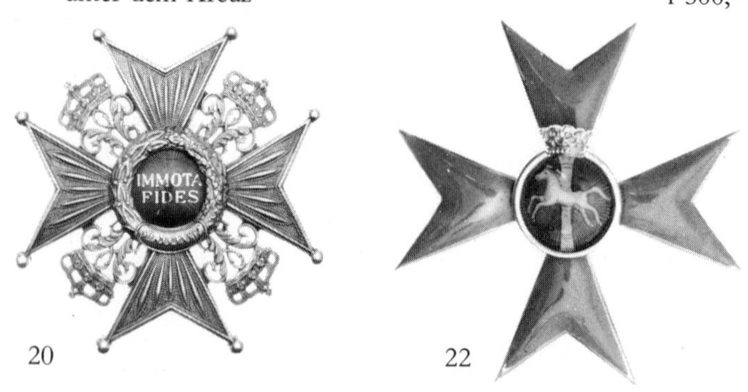

20 22

26 Ritterkreuz 1. Klasse mit Schwertern durch die Mitte — 1 200,–

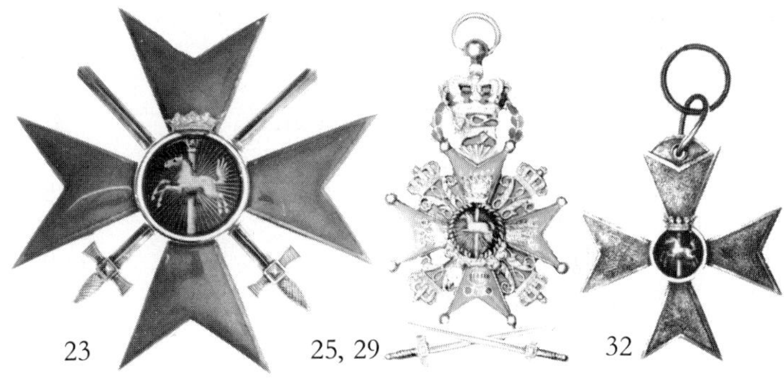
23 25, 29 32

27 Ritterkreuz 1. Klasse mit Schwertern am Ring — 1 500,–
28 Ritterkreuz 2. Klasse — 500,–
29 Ritterkreuz 2. Klasse mit Schwertern unter dem Kreuz — 1 000,–
30 Ritterkreuz 2. Klasse mit Schwertern durch die Mitte — 850,–
31 Ritterkreuz 2. Klasse mit Schwertern am Ring — 1 000,–
32 Kreuz 4. Klasse — 550,–

34

36

38–40

| Nr. | Bezeichnung | | Preis |
|---|---|---|---|
| 33 | Kreuz 4. Klasse mit Schwertern | | 900,– |
| 34 | Verdienstkreuz 1. Klasse | G | 500,– |
| | | Sv | 250,– |
| 35 | Verdienstkreuz 1. Klasse mit Schwertern | G | 800,– |
| 36 | Verdienstkreuz 2. Klasse | | 160,– |
| 37 | Verdienstkreuz 2. Klasse mit Schwertern | | 350,– |
| 38 | Ehrenzeichen 1. Klasse | vg | 175,– |
| 39 | Ehrenzeichen 1. Klasse | S | 180,– |
| 40 | Ehrenzeichen 2. Klasse | | 120,– |
| 41 | Verdienstzeichen für KuW 1. Klasse | | 1 000,– |
| 42 | Verdienstzeichen für KuW 2. Klasse mit der Krone | | 900,– |
| 43 | Verdienstzeichen für KuW 2. Klasse | | 750,– |

41, 43

42

45

Zivile Ehrenzeichen

| Nr. | Bezeichnung | Preis |
|---|---|---|
| 44 | Zivilverdienstmedaille 1815 | 3 500,– |
| 45 | Rettungsmedaille (Varianten in Bronze vorkommend) | 275,– |
| 46 | Frauenverdienstkreuz 1. Klasse | 2 000,– |
| 47 | Frauenverdienstkreuz 2. Klasse | 1 200,– |
| 48 | Medaille für Verdienste um die Feuerwehr | 200,– |
| 49 | Feuerwehrdienstauszeichnung für 25 Jahre | 180,– |

## Militärische Ehrenzeichen

| | | |
|---|---|---|
| 53 | Kreuz für den Feldzug 1809 mit Name von Herzog Carl, für Offiziere (Prägevarianten) | 1 000,– |

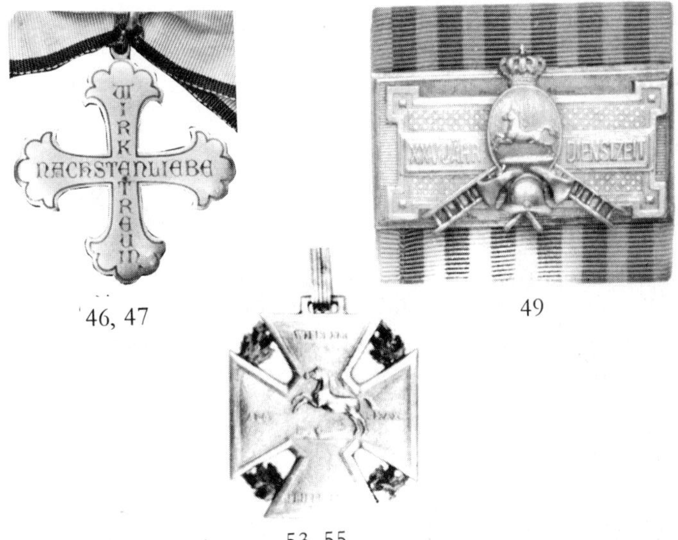


46, 47

49

53, 55

| | | |
|---|---|---|
| 54 | Kreuz für den Feldzug 1809 mit Namen von Herzog Carl, für Mannschaften (Prägevarianten) | 500,– |
| 55 | Kreuz für den Feldzug 1809 mit Namen von Herzog Wilhelm, für Offiziere (Prägevarianten) | 1 250,– |
| 56 | Kreuz für den Feldzug 1809 mit Namen von Herzog Wilhelm, für Mannschaften (Prägevarianten) | 570,– |
| 57 | Peninsula-Medaille 1810 – 1814 mit Monogramm „C" für Offiziere | 775,– |

| | | |
|---|---|---|
| 58 | Peninsula-Medaille 1810 – 1814 mit Monogramm „C" für Mannschaften | 400,– |
| 59 | Peninsula-Medaille 1810 – 1814 mit Monogramm „W" für Offiziere | 750,– |
| 60 | Peninsula-Medaille 1810 – 1814 mit Monogramm „W" für Mannschaften | 550,– |

56  57  60

61  63  64

| | | |
|---|---|---|
| 61 | Militärverdienstmedaille 1815 | * |
| 62 | Waterloo-Ehrendukat | * |
| 63 | Waterloo-Medaille | 240,– |
| 64 | Erinnerungsmedaille für die Feldzüge 1848/1849 in Schleswig-Holstein | 600,– |

| | | | |
|---|---|---|---|
| 65 | Militär-Kriegsverdienstkreuz 1879 | G | 1 500,– |
| 66 | Militär-Verdienstkreuz 1914 – 1918 | Sv | 1 200,– |
| 67 | Kriegsverdienstkreuz 1. Klasse (sog. Ernst-August-Kreuz) | | 120,– |
| 68 | Kriegsverdienstkreuz 2. Klasse, am Band für Kämpfer | | 65,– |
| 69 | Kriegsverdienstkreuz 2. Klasse, am Band für Nichtkämpfer | | 65,– |
| 70 | Bewährungsabzeichen hierzu | | 100,– |
| 71 | Kriegsverdienstkreuz für Frauen und Jungfrauen 1917 – 1918 | | 120,– |
| 72 | Offiziersdienstauszeichnungskreuz für 25 Jahre Modell 1828 – 1833 in Gold | | * |
| 73 | Offiziersdienstauszeichnungskreuz für 25 Jahre Modell 1833 – 1886 | | 500,– |

67

68, 70

Militärdienstauszeichnung

| | | |
|---|---|---|
| 74 | Silbernes Kreuz für 25 Dienstjahre | 330,– |
| 75 | Silbernes Kreuz für 21 Dienstjahre | 250,– |
| 76 | Silbernes Kreuz für 20 Dienstjahre | 160,– |

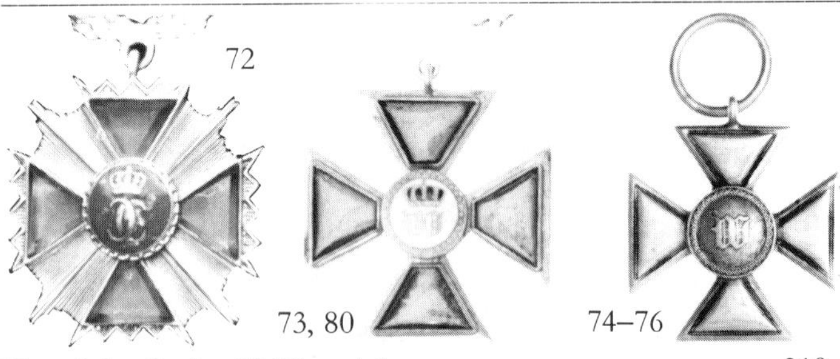


| | | |
|---|---|---|
| 77 | Schnalle für 15 Dienstjahre | 210,– |
| 78 | Schnalle für 10 Dienstjahre | 175,– |
| 79 | Schnalle für 9 Dienstjahre | 150,– |
| 80 | Landwehrdienstauszeichnung 1. Klasse | 550,– |
| 81 | Landwehrdienstauszeichnung 2. Klasse | 125,– |

77

81

# Bremen

## Militärische Ehrenzeichen

| | | |
|---|---|---|
| 1 | Hanseatenkreuz | 50,– |
| 2 | Offiziersdienstauszeichnungskreuz für 25 Jahre | 600,– |
| 3 | Dienstauszeichnungskreuz für 25 Jahre | 400,– |
| 4 | Schnalle für 20 Dienstjahre | 300,– |
| 5 | Schnalle für 15 Dienstjahre | 250,– |
| 6 | Schnalle für 10 Dienstjahre | 200,– |
| 7 | Rettungsmedaille (nicht tragbar) | 220,– |

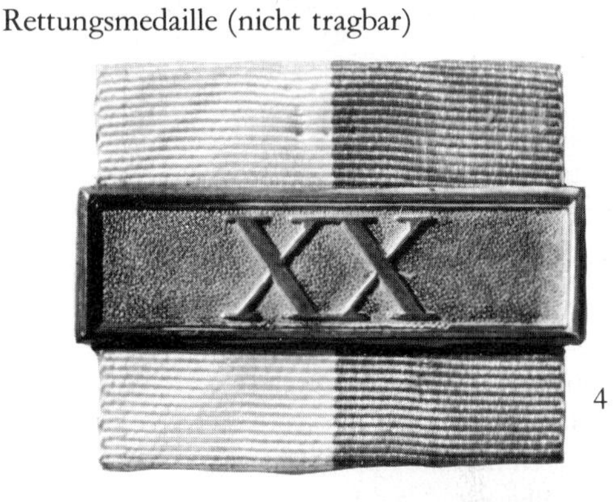


4

5

# Frankfurt

## Concordienorden

| | | |
|---|---|---|
| 1 | Großkreuz | * |
| 2 | Stern zum Großkreuz (gestickt) | * |
| 3 | Kommandeurkreuz | * |
| 4 | Ritterkreuz | * |

1, 3–4

2

## Militärische Ehrenzeichen

| | | |
|---|---|---|
| 5 | Goldene Ehrenmedaille des Fürstprimas Carl von Dalberg | * |
| 6 | Silberne Ehrenmedaille des Fürstprimas Carl von Dalberg | 1 000,– |
| 7 | Goldene Ehrenmedaille des Großherzogs Carl | * |

7–8

9

10, 11

| | | | |
|---|---|---|---|
| 8 | Silberne Ehrenmedaille des Großherzogs Carl | | 800,– |
| 9 | Ehrenkreuz für die Offiziere der Linie 1814 | B | 650,– |
| 10 | Goldene Kriegsdenkmünze für die Freiwilligen 1814 | | * |
| 11 | Silberne Kriegsdenkmünze für die Freiwilligen 1814 | | 400,– |
| 12 | Ehrenkreuz für die Offiziere der treugebliebenen Freiwilligen des Landwehrbataillons Fulda 1814 | Svg | * |
| | | Ku vg | * |
| 13 | Ehrenkreuz für Mannschaften wie vor | | 1 000,– |

12, 13  17  21–23

| | | | |
|---|---|---|---|
| 14 | Kriegsdenkmünze 1814 (gestiftet 1846 für die Überlebenden) | | 1 500,– |
| 15 | Kriegsdenkmünze 1815 in Gold | | * |
| 16 | Kriegsdenkmünze 1815 in Silber | | 410,– |
| 17 | Felddienstzeichen für das Linienbataillon 1848/1849, Kreuz | B | 600,– |
| 18 | Offiziersdienstauszeichnungskreuz für 50 Jahre | | * |
| 19 | Offiziersdienstauszeichnungskreuz für 25 Jahre | | 500,– |

20 Unteroffiziersdienstauszeichnungskreuz
für 50 Jahre *

21 Unteroffiziersdienstauszeichnungskreuz
für 25 Jahre 500,–

22 Unteroffiziersdienstauszeichnungskreuz
für 15 Jahre 400,–

23 Unteroffiziersdienstauszeichnungskreuz
für 10 Jahre (Prägevarianten) 300,–

# Hamburg

## Zivile Ehrenzeichen

1 Medaille für Hilfeleistung beim
Stadtbrand 1843 160,–

1

3

## Militärische Ehrenzeichen

2 Abzeichen des Bürgermilitärs 1848 250,–

3 Hanseatenkreuz 40,–

4 Offiziersdienstauszeichnungskreuz für 25 Jahre,
1. Modell 1839 – 58 (VS, Wappen, RS XXV) 400,–

5 Wie vor, 2. Modell 1858 – 67
(VS und RS Wappen) 350,–

6 Militärdienstauszeichnungskreuz für 20 Jahre 300,–

7 Militärdienstauszeichnung (Schnalle) für 20 Jahre 200,–

| | | |
|---|---|---|
| 8 | Militärdienstauszeichnung für 15 Jahre | 150,– |
| 9 | Militärdienstauszeichnung für 10 Jahre | 125,– |
| 10 | Medaille des Bürgermilitärs für 50 Dienstjahre in Gold | * |
| 11 | Medaille des Bürgermilitärs für 25 Dienstjahre in Silber | 440,– |

# Hannover

St. Georgs-Orden

| | | |
|---|---|---|
| 1 | Kollane | * |
| 2 | Ordenskreuz | * |
| 3 | Bruststern | 4 800,– |

2  3  6, 10, 14, 16

Guelphenorden

| | | |
|---|---|---|
| 4 | Kollane | * |
| 5 | Großkreuz | 5 000,– |
| 6 | Großkreuz mit Schwertern | 8 000,– |
| 7 | Bruststern zum Großkreuz | 3 000,– |
| 8 | Bruststern zum Großkreuz mit Schwertern | 3 500,– |
| 9 | Kommandeurkreuz | 3 000,– |

| | | |
|---|---|---|
| 10 | Kommandeurkreuz mit Schwertern | 3 500,– |
| 11 | Bruststern zum Kommandeurkreuz, 1. Klasse | 2 500,– |
| 12 | Bruststern zum Kommandeurkreuz, mit Schwertern | 3 250,– |
| 13 | Ritterkreuz 1. Klasse | 1 200,– |
| 14 | Ritterkreuz mit Schwertern | 1 400,– |
| 15 | Ritterkreuz 2. Klasse | 650,– |
| 16 | Ritterkreuz mit Schwertern | 850,– |

7

5, 9, 13, 15

8

11

12

## Ernst-August-Orden

| | | |
|---|---|---|
| 17 | Großkreuz | * |
| 18 | Bruststern zum Großkreuz | 4 000,– |
| 19 | Komtur | 12 000,– |
| 20 | Bruststern zum Komturkreuz 1. Klasse | 8 000,– |
| 21 | Ritterkreuz 1. Klasse | 2 500,– |
| 22 | Ritterkreuz 2. Klasse | 600,– |
| 23 | Verdienstkreuz 1. Klasse | 450,– |
| 24 | Verdienstkreuz 2. Klasse | 350,– |

17, 19, 21, 22

18

## Zivile Ehrenzeichen

| | | |
|---|---|---|
| 25 | Goldene Verdienstmedaille, Prinzregent Georg | * |
| 26 | Silberne Verdienstmedaille | 350,– |
| 27 | Goldene Verdienstmedaille, König Wilhelm IV. | * |
| 28 | Silberne Verdienstmedaille | 400,– |
| 29 | Goldene Verdienstmedaille, König Ernst August, mit Jahreszahl 1837 | 3 000,– |
| 30 | Silberne Verdienstmedaille | 355,– |
| 31 | Goldene Verdienstmedaille, ohne Jahreszahl | 1 500,– |

20

25–26, 39

29, 30

31, 32

33, 40

32 Silberne Verdienstmedaille 250,–

33 Allgemeines Ehrenzeichen für Zivilverdienste 125,–

34 Lebensrettungsmedaille (2 Prägungen) 350,–

35 Goldene Medaille für besondere Verdienste aller Art *

36 Silberne Medaille 800,–

37 Goldene Medaille für Kunst und Wissenschaft (3 Prägungen) *

| | | | |
|---|---|---|---|
| 38 | Silberne Erinnerungsmedaille zum 81. Geburtstag der Königin Marie v. Hannover, 1898 | | * |
| 38a | Bronzene Erinnerungsmedaille zum 81. Geburtstag der Königin Marie v. Hannover, 1898 | | * |

37

38, 38a

Militärische Ehrenzeichen

| | | | |
|---|---|---|---|
| 39 | Guelphenmedaille für Militärverdienste im Kriege | | 400,– |
| 40 | Allgemeines Ehrenzeichen für Militärverdienst | | 140,– |
| 40/1 | Medaille f. d. Verteidigung v. Gibraltar 1782 (nicht tragbar) | | 1 500,– |
| 41 | Kriegsdenkmünze für die Freiwilligen 1813 | | 130,– |
| 42 | Kriegsdenkmünze für die Freiwilligen der Königlich Deutschen Legion 1814 | | 130,– |
| 43 | Waterloo-Medaille 1815 | | 480,– |
| 44 | Medaille zum 50-jährigen Militärjubiläum von König Ernst August 1840 | | * |
| 45 | Langensalza-Medaille 1866 | | 45,– |
| 46 | Wilhelmskreuz für 25 Dienstjahre der Offiziere | G | 1 100,– |
| | | vg | 200,– |

41
42
43
45
46
47
49
50
52
1813
LANGENSALZA
27. JUNI
1866.
WR
IV

| Nr. | Bezeichnung | | Preis |
|---|---|---|---|
| 47 | Ernst August-Kreuz für 50 Dienstjahre der Offiziere | G | 1 350,– |
| | | vg | 300,– |
| 48 | Goldene Wilhelmsmedaille für 15 Jahre mit dem Kopf von Wilhelm IV. | | 800,– |
| 49 | Silberne Wilhelmsmedaille für 16 Jahre | | 200,– |
| 50 | Goldene Wilhelmsmedaille mit dem jüngeren Kopf von Ernst August | | 800,– |
| 51 | Silberne Wilhelmsmedaille | | 180,– |
| 52 | Goldene Wilhelmsmedaille mit dem älteren Kopf von Ernst August | | 800,– |
| 53 | Silberne Wilhelmsmedaille | | 175,– |

# Hansestädte – gemeinsam

1, 2

Militärische Ehrenzeichen

| Nr. | Bezeichnung | Preis |
|---|---|---|
| 1 | Gemeinsame Kriegsdenkmünze der Hanseatischen Legion 1813 – 1814 in Gold | * |
| 2 | Gemeinsame Kriegsdenkmünze in Silber | 225,– |

# Hessen-Darmstadt

## Orden vom Goldenen Löwen

| | | |
|---|---|---|
| 1 | Kollane | * |
| 2 | Ordensdekoration | 2 500,– |
| 3 | Bruststern | 1 550,– |

3 2 3

## Ludwigsorden

| | | |
|---|---|---|
| 4 | Kollane Monogramm „L I" | * |
| 5 | Kollane Monogramm „L II" | * |
| 6 | Kollane Monogramm „L III" | * |
| 7 | Großkreuz | 6 000,– |
| 8 | Großkreuz mit Schwertern | * |
| 9 | Bruststern zum Großkreuz | 1 800,– |
| 10 | Bruststern zum Großkreuz mit Schwertern | * |
| 11 | Komturkreuz | 3 500,– |
| 12 | Bruststern zum Komturkreuz 1. Klasse | 4 000,– |
| 13 | Ehrenkreuz | * |
| 14 | Ritterkreuz 1. Klasse | 1 500,– |
| 15 | Ritterkreuz 2. Klasse | * |
| | Medaillen des Ludwigsordens | |
| | Medaillen mit Kopf Ludwig III. 1850 – 1889 | |

9 12

7, 11, 14, 15,

| | | | |
|---|---|---|---|
| 16 | Goldene Medaille „Für Tapferkeit" | G | 2 000,– |
| 17 | Silberne Medaille „ Für Tapferkeit" | | 750,– |
| 18 | Goldene Medaille „Für fünfzigjährige treue Dienste" | G | 2 000,– |
| 19 | Silberne Medaille, wie vor | | 400,– |
| 20 | Goldene Medaille „Für vieljährige treue Dienste" | G | 2 000,– |
| 21 | Silberne Medaille, wie vor | | 400,– |
| 22 | Goldene Medaille „Für langjährige treue Dienste" | G | 2 000,– |
| 23 | Silberne Medaille, wie vor | | 400,– |
| 24 | Silberne Medaille „Für wiederholte Rettung von Menschenleben" | | * |
| 25 | Goldene Medaille „Für treue Dienste" | G | 1 800,– |
| 26 | Silberne Medaille „Für treue Dienste" | | 300,– |
| 27 | Goldene Medaille „Für Verdienste" | G | 1 800,– |

16–28, 111–119

112, 120, 127
27–28, 33–34,
41–42

25–26, 31–32,
39–40
113, 121, 128

| | | | |
|---|---|---|---|
| 28 | Silberne Medaille „Für Verdienste" | | 300,– |
| | Medaillen mit Kopf Ludwig IV. 1889 – 1894 | | |
| 29 | Goldene Medaille „Für fünfzigjährige treue Dienste" | G | 2 000,– |
| | | Sv | 500,– |
| 30 | Silberne Medaille, wie vor | | 300,– |
| 31 | Goldene Medaille „Für treue Dienste" | G | 2 000,– |
| | | Sv | 400,– |
| 32 | Silberne Medaille, wie vor | | 250,– |
| 33 | Goldene Medaille „Für Verdienste" | G | 2 000,– |
| | | Sv | 400,– |
| 34 | Silberne Medaille, wie vor | | 250,– |
| | Medaillen mit Kopf Ernst Ludwig 1894 – 1918 | | |
| 35 | Goldene Medaille „Für fünfzigjährige treue Dienste" | Sv | 300,– |
| 36 | Silberne Medaille, wie vor | | 160,– |

29–34, 120–124

35–42, 125–133

| | | | |
|---|---|---|---|
| 37 | Goldene Medaille<br>„Für langjährige treue Dienste" | Sv | 250,– |
| 38 | Silberne Medaille, wie vor | | 125,– |
| 39 | Goldene Medaille „Für treue Dienste" | Sv | 200,– |
| 40 | Silberne Medaille „Für treue Dienste" | | 80,– |
| 41 | Goldene Medaille „Für Verdienste" | Sv | 200,– |
| 42 | Silberne Medaille „Für Verdienste" | | 80,– |

Orden Philipp des Großmütigen

| | | |
|---|---|---|
| | 1. Modell 1840 – 1849 | |
| 43 | Großkreuz | * |
| 44 | Bruststern zum Großkreuz | 14 000,– |
| 45 | Komturkreuz | * |
| 46 | Bruststern zum Komturkreuz 1. Klasse | * |
| 47 | Ritterkreuz | 7 500,– |
| | 2. Modell 1849 – 1918 | |
| 48 | Großkreuz mit der Krone | 5 000,– |
| 49 | Großkreuz mit der Krone und Schwertern | 7 750,– |

43, 45, 47 44 48, 56, 68, 72

| | | |
|---|---|---|
| 50 | Großkreuz | 3 750,– |
| 51 | Großkreuz mit Schwertern | 4 500,– |
| 52 | Bruststern zum Großkreuz mit der Krone | 2 700,– |
| 53 | Bruststern zum Großkreuz mit der Krone und Schwertern | 3 250,– |
| 54 | Bruststern zum Großkreuz | 1 800,– |
| 55 | Bruststern zum Großkreuz mit Schwertern | 2 500,– |
| 56 | Komturkreuz mit der Krone | 2 500,– |
| 57 | Komturkreuz mit der Krone und Schwertern | 3 500,– |
| 58 | Komturkreuz | 1 350,– |
| 59 | Komturkreuz mit Schwertern | 2 000,– |
| 60 | Bruststern zum Komturkreuz 1. Klasse mit der Krone | 3 500,– |
| 61 | Bruststern zum Komturkreuz 1. Klasse mit der Krone und Schwertern | 4 500,– |
| 62 | Bruststern zum Komturkreuz 1. Klasse, Typ 1 | 2 000,– |
| | Typ 2 (mit goldenen Strahlen) | 2 000,– |
| 63 | Bruststern zum Komturkreuz 1. Klasse mit Schwertern, Typ 2 | 2 500,– |

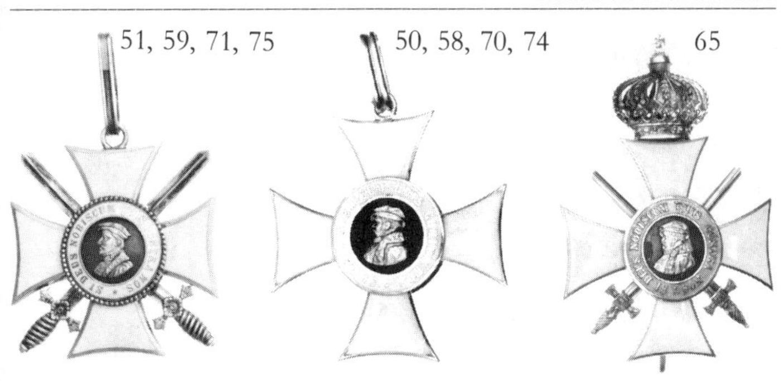


| | | |
|---|---|---|
| 64 | Ehrenkreuz mit der Krone | 1 850,– |
| 65 | Ehrenkreuz mit der Krone und Schwertern | 2 500,– |
| 66 | Ehrenkreuz | 1 000,– |
| 67 | Ehrenkreuz mit Schwertern | 1 500,– |
| 68 | Ritterkreuz 1. Klasse mit der Krone | 800,– |

| | | |
|---|---|---|
| 69 | Ritterkreuz 1. Klasse mit der Krone und Schwertern | 1 250,– |
| 70 | Ritterkreuz 1. Klasse | 600,– |
| 71 | Ritterkreuz 1. Klasse mit Schwertern | 750,– |
| 72 | Ritterkreuz 2. Klasse mit der Krone | 500,– |
| 73 | Ritterkreuz 2. Klasse mit der Krone und Schwertern | 1 000,– |
| 74 | Ritterkreuz 2. Klasse | 375,– |
| | am Band für Kämpfer | 380,– |
| 75 | Ritterkreuz 2. Klasse mit Schwertern | 500,– |
| 75 | Silbernes Verdienstkreuz mit der Krone | 350,– |
| 77 | Silbernes Verdienstkreuz mit der Krone und Schwertern | 500,– |

| | | |
|---|---|---|
| 78 | Silbernes Verdienstkreuz | 250,– |
| 79 | Silbernes Verdienstkreuz mit Schwertern | 450,– |

81  84  86

Orden des Sterns von Brabant

| | | |
|---|---|---|
| 80 | Großkreuz | * |
| 81 | Bruststern zum Großkreuz | * |
| 82 | Großkomturkreuz mit Türkisen | * |
| 83 | Bruststern zum Großkomturkreuz mit Türkisen | * |
| 84 | Großkomturkreuz 1. Klasse | 4 000,– |
| 85 | Bruststern zum Großkomturkreuz 1. Klasse | 3 000,– |
| 86 | Großkomturkreuz 2. Klasse mit Krone | 3 000,– |

87 88 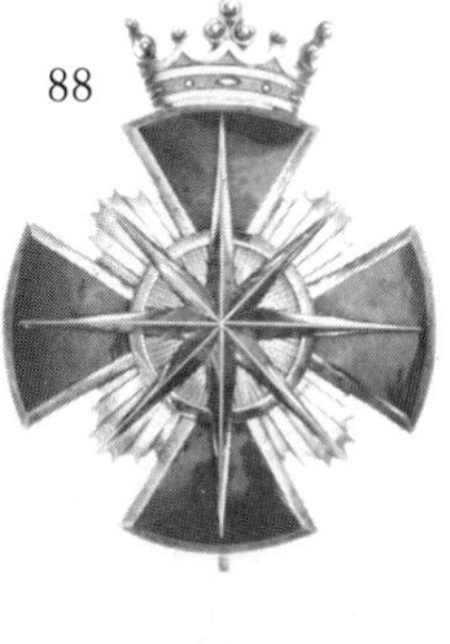 91

| | | |
|---|---|---|
| 87 | Großkomturkreuz 2. Klasse | 2 500,– |
| 88 | Bruststern zum Großkomturkreuz 2. Klasse | 2 500,– |
| 89 | Komturkreuz 1. Klasse mit Krone | 2 500,– |
| 90 | Komturkreuz 1. Klasse | 2 000,– |
| 91 | Komturkreuz 2. Klasse mit Krone | 2 000,– |
| 92 | Komturkreuz 2. Klasse | 1 500,– |
| 93 | Ehrenkreuz 1. Klasse mit Krone | 1 750,– |
| 94 | Ehrenkreuz 1. Klasse | 1 250,– |
| 95 | Ehrenkreuz 2. Klasse mit Krone | 1 500,– |
| 96 | Ehrenkreuz 2. Klasse | 1 200,– |
| 97 | Ritterkreuz 1. Klasse mit Krone | 1 200,– |
| 98 | Ritterkreuz 1. Klasse | 800,– |
| 99 | Ritterkreuz 2. Klasse mit Krone | 1 000,– |
| 100 | Ritterkreuz 2. Klasse | 600,– |
| 100/1 | Damenkreuz 1. Klasse | 1 250,– |
| 100/2 | Damenkreuz 2. Klasse | 750,– |
| 101 | Silbernes Kreuz 1. Klasse mit Krone | 900,– |
| 102 | Silbernes Kreuz 1. Klasse | 600,– |
| 103 | Silbernes Kreuz 2. Klasse mit Krone | 600,– |
| 104 | Silbernes Kreuz 2. Klasse | 500,– |

107

105, 110,

108

| | | |
|---|---|---|
| 105 | Silberne Medaille | 500,– |
| 106 | Ehrenkreuzdame | 3 500,– |
| 109 | Silbernes Damenkreuz | 600,– |
| 110 | Silberne Medaille zum Damenkreuz | 500,– |

Allgemeine Ehrenzeichen

1. Modell, mit Kopf von Ludwig III. 1849 – 1889

| | | |
|---|---|---|
| 111 | „Für Tapferkeit" | 750,– |
| 112 | „Für Verdienste" | 300,– |

117, 124, 131, 143

| | | | |
|---|---|---|---|
| 113 | „Für treue Dienste" | | 300,– |
| 114 | „Für vieljährige treue Dienste" | | 400,– |
| 115 | „Für langjährige treue Dienste" | | 400,– |
| 116 | „Für fünfzigjährige treue Dienste" | | 400,– |
| 117 | „Für Rettung von Menschenleben" | | 450,– |
| 118 | „Für Rettung aus Lebensgefahr" | | 450,– |

2. Modell, mit Kopf von Ludwig IV. 1889 – 1894

| | | | |
|---|---|---|---|
| 119 | „Für Verdienste im Löschwesen" | | * |
| 120 | „Für Verdienste | | 250,– |
| 121 | „Für treue Dienste" | | 250,– |
| 122 | „Für langjährige treue Dienste" | | 310,– |
| 123 | „Für fünfzigjährige treue Dienste" | | 300,– |
| 124 | „Für Rettung von Menschenleben" | | 500,– |

3. Modell, mit Kopf von Ernst Ludwig
1894 – 1918

| | | | |
|---|---|---|---|
| 125 | „Für Tapferkeit" | S | 40,– |
| | am Band d. Allg. Ehrenzeichens | | 40,– |
| | | vs | 30,– |
| 126 | „Für Kriegsverdienste" | S | 50,– |
| | am Band d. Allg. Ehrenzeichens | | 50,– |
| | | vs | 30,– |
| 127 | „Für Verdienste" | | 80,– |
| | am Band des Philipps-Orden | | 80,– |
| 128 | „Für treue Dienste" | | 80,– |
| | am Band des Philipps-Orden | | 80,– |
| 129 | „Für langjährige treue Dienste" | | 125,– |
| | am Band des Philipps-Orden | | 125,– |
| 130 | „Für langjährige treue Dienste" | | 150,– |
| | am Band des Philipps-Orden | | 150,– |

| | | |
|---|---|---|
| 31 | „Für Rettung von Menschenleben" | 290,– |
| 32 | „Für wiederholte Rettung von Menschenleben" | * |
| 33 | „Für treue Arbeit" | 150,– |
| | am Band des Philipps-Orden | 150,– |

34, 135

136

Zivile Ehrenzeichen

| | | |
|---|---|---|
| 34 | Silberne Verdienstmedaille | 450,– |
| 35 | Bronzene Verdienstmedaille | 275,– |
| 36 | Ehrenzeichen für Verdienste während der Wassernot 1882/1883 | 450,– |
| 37 | Silberne Alice-Medaille | 600,– |
| 38 | Bronzene Alice-Medaille | 400,– |
| 39 | Ernst Ludwig-Eleonoren-Kreuz | 625,– |
| 40 | Hochzeitsjubiläumsmedaille 1894 | 200,– |
| 41 | Hochzeitsjubiläumsmedaille 1905 | 270,– |
| 42 | Jubiläumserinnerungszeichen für die Damen des Alice-Vereins 1917 | 160,– |
| 43 | Medaille „Für Rettung von Menschenleben" | 300,– |
| 44 | wie vor, mit silberner Bandspange „Für wiederholte Rettung" | * |
| | Verdienstmedaillen für Wissenschaft, Kunst, Industrie und Landwirtschaft „Dem Verdienste" | |

1. Modell mit Kopf Ludwig III. 1853 – 1889

| | | | |
|---|---|---|---|
| 146 | Goldene Medaille | | 2 500,- |
| 147 | Silberne Medaille | | 600,- |

137–138 139 140

2. Modell mit Kopf Ludwig IV. 1889 – 1894

| | | | |
|---|---|---|---|
| 148 | Goldene Medaille | G | 1 800,- |
| | | Sv | 1 000,- |
| 149 | Silberne Medaille | | 600,- |
| | 3. Modell mit Kopf Ernst Ludwig 1894 – 1904 | | |
| 150 | Goldene Medaille | Sv | 500,- |
| 151 | Silberne Medaille | | 350,- |
| 152 | Verdienstmedaille für Wissenschaft, Kunst, Industrie und Landwirtschaft, 1853 – 1889 in Gold | Sv | 500,- |
| 152/1 | wie vor, in Silber | | 350,- |
| 153 | Verdienstmedaille für Wissenschaft, Kunst, Industrie und Landwirtschaft, 1889 – 1894 in Gold | Sv | 500,- |
| 153/1 | wie vor, in Silber | | 350,- |

141 — 146–151 — 152, 153 — 154, 155

| | | | |
|---|---|---|---|
| 154 | Verdienstmedaille für Wissenschaft, Kunst, Industrie und Landwirtschaft, 1894 – 1904 in Gold | Sv | 500,– |
| 154/1 | wie vor, in Silber | | 350,– |
| 155 | Verdienstmedaille für Wissenschaft, Kunst, Industrie und Landwirtschaft, 1904 – 1918 in Gold | Sv | 500,– |
| 155/1 | wie vor, in Silber | | 350,– |
| 156 | Dienstehrenzeichen für höhere Hofchargen für 50 Jahre (identisch mit 186) | G | 1 200,– |
| 157 | wie vor, für 25 Jahre (identisch mit 188) | G | 750,– |
| 158 | Dienstehrenzeichen für niedere Hofchargen für 50 Jahre (identisch mit 189) | S | 625,– |
| 159 | wie vor, für 25 Jahre (identisch mit 191) | S | 250,– |
| 160 | Feuerwehrehrenzeichen für 40 Dienstjahre | | 165,– |
| 161 | Feuerwehrehrenzeichen für 25 Dienstjahre | | 100,– |
| 162 | Feuerwehrehrenzeichen für 20 Dienstjahre | | 100,– |
| 163 | Feuerwehrehrenzeichen für 15 Dienstjahre | | 90,– |
| 164 | Feuerwehrehrenzeichen für 10 Dienstjahre | | 85,– |

158–159, 187–188, 190–191 | 156, 186 | 161

| | | | |
|---|---|---|---|
| 165 | Dienstehrenzeichen der Hessischen Staatsbahnen für 40 Jahre | | 350,– |
| 166 | wie vor, für 25 Jahre | | 200,– |
| 167 | Dienstauszeichnungskreuz für Krankenpflege für 25 Jahre | | 200,– |
| 168 | wie vor, für 20 Jahre | | 150,– |
| 169 | wie vor, für 15 Jahre | | 120,– |
| 170 | wie vor, für 10 Jahre | | 100,– |
| 171 | wie vor, ohne Jahresangabe | S | 100,– |
| | | B vg | 100,– |
| 172 | Goldenes Kreuz für weibliche Dienstboten mit Namenszug „V. M." für 50 Jahre | | 500,– |
| 173 | wie vor, für 25 Jahre | | 350,– |
| | wie vor, mit Namenszug „E" für 50 Jahre | | 500,– |
| 175 | wie vor, für 25 Jahre | | 350,– |

## Militärische Ehrenzeichen

| | | |
|---|---|---|
| 176 | Veteranenehrenzeichen 1792 – 1815 | 450,– |
| 176/1 | Militärerinnerungszeichen f. Kriegsveteranen 1792 – 1815 | 500,– |

177 179 178 181 184

| | | | |
|---|---|---|---|
| 177 | Felddienstehrenzeichen 1840 – 1866 | | 35,– |
| 179 | Militärsanitätskreuz 1870/1871 | | 570,– |
| 180 | wie vor, mit Bandspange „1914" | | * |
| 181 | Kriegerehrenzeichen 1917 | Eisen | 155,– |
| 182 | Militär-Sanitätskreuz 1914 Kriegsband | | 55,– |
| | Militär-Sanitätskreuz 1914 Rotes Band | | 55,– |
| 183 | Ehrenzeichen für Kriegsfürsorge | | 55,– |
| 184 | Kriegsehrenzeichen | Br | 45,– |
| | | vk | 30,– |

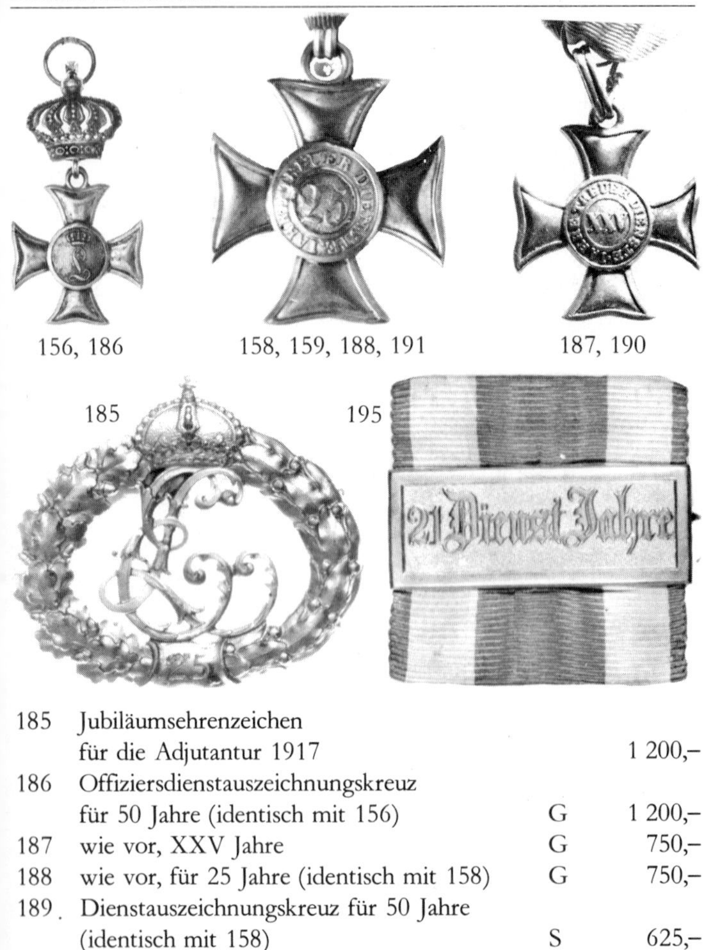


156, 186 — 158, 159, 188, 191 — 187, 190

185 — 195

| | | | |
|---|---|---|---|
| 185 | Jubiläumsehrenzeichen für die Adjutantur 1917 | | 1 200,– |
| 186 | Offiziersdienstauszeichnungskreuz für 50 Jahre (identisch mit 156) | G | 1 200,– |
| 187 | wie vor, XXV Jahre | G | 750,– |
| 188 | wie vor, für 25 Jahre (identisch mit 158) | G | 750,– |
| 189 | Dienstauszeichnungskreuz für 50 Jahre (identisch mit 158) | S | 625,– |
| 190 | wie vor, für XXV Jahre | S | 250,– |

| | | | |
|---|---|---|---|
| 191 | wie vor, für 25 Jahre (identisch mit 159) | S | 250,– |
| 192 | Dienstauszeichnung 1. Modell 1849 – 1871 Schnalle | | |
| | 1. Klasse für 20 Dienstjahre | | 230,– |
| 193 | 2. Klasse für 15 Dienstjahre Eisen, Rand Silber | | 150,– |
| 194 | 3. Klasse für 10 Dienstjahre | | 125,– |
| 195 | Dienstauszeichnung 2. Modell 1871 – 1913 Schnalle | | |
| | 1. Klasse für 21 Dienstjahre | | 200,– |
| 196 | 2. Klasse für 15 Dienstjahre | S | 150,– |
| 197 | 3. Klasse für 9 Dienstjahre | | 85,– |
| 198 | Dienstauszeichnung 3. Modell 1913 – 1918 | | |
| | 1. Klasse für 15 Dienstjahre (Kreuz) | | 50,– |
| 199 | 2. Klasse für 12 Dienstjahre (Medaille) | | 35,– |

201

| | | |
|---|---|---|
| 200 | 3. Klasse für 9 Dienstjahre (Medaille) | 25,– |
| 201 | Landwehrdienstauszeichnung (Bandschnalle) | 100,– |
| 202 | Landwehrdienstauszeichnung (Medaille) | 20,– |

# Hessen-Homburg

1,2

3

<u>Militärische Ehrenzeichen</u>

| | | | |
|---|---|---|---|
| 1 | Schwerterkreuz 1814 – 15, Halskreuz für Ludwig I. von Hessen-Darmstadt | Sv | * |
| 2 | Schwerterkreuz | S | 5 000,– |
| 3 | Felddienstauszeichnung 1850 | | 650,– |
| 4 | Offiziersdienstauszeichnungskreuz für 50 Jahre | | * |
| 5 | wie vor, für 25 Jahre | G | 1 000,– |
| 6 | Dienstauszeichnungskreuz für 25 Jahre | | 425,– |
| 7 | Dienstauszeichnung (Schnalle) 1. Klasse für 20 Jahre | | 275,– |
| 8 | Dienstauszeichnung (Schnalle) 2. Klasse für 15 Jahre | | 215,– |
| 9 | Dienstauszeichnung (Schnalle) 3. Klasse für 10 Jahre | | 175,– |

# Hessen-Kassel

## Orden vom Goldenen Löwen

| | | |
|---|---|---|
| 1 | Kollane (2 Modelle) | * |
| 2 | Ordensdekoration (Fridericus II. 1770) | 3 750,– |
| 3 | Ordensdekoration (Wilhelmus 1803) | 3 000,– |
| 4 | Bruststern | 1 500,– |
| 5 | Komturkreuz | 4 500,– |
| 6 | Komturkreuz mit Schwertern | * |
| 7 | Komturstern | 3 500,– |
| 8 | Komturstern mit Schwertern | * |
| 9 | Ritterkreuz | 1 500,– |
| 10 | Ritterkreuz mit Schwertern | * |

2 2–3 3

4 5, 11, 13 12

## Wilhelm-Orden

| | | |
|---|---|---|
| 11 | Großkreuz | 4 500,– |
| 12 | Bruststern zum Großkreuz | 3 000,– |
| 13 | Komturkreuz | 4 500,– |
| 14 | Komturkreuz mit Schwertern | * |
| 15 | Komturkreuz mit Schwertern am Ring | * |
| 16 | Bruststern zum Komturkreuz 1. Klasse | 2 500,– |
| 17 | Ritterkreuz | 1 500,– |
| 18 | Inhaberkreuz | 1 000,– |

## Orden Vertu Militaire

| | | | |
|---|---|---|---|
| 19 | 1. Modell „FL” | | * |
| 20 | 2. Modell „WK” | | * |

## Orden vom Eisernen Helm

| | | | |
|---|---|---|---|
| 21 | Brabanter Kreuz | | 6 000,– |
| 22 | Deutsches Kreuz | | 6 000,– |

## Allgemeine Ehrenzeichen

| | | | |
|---|---|---|---|
| 23 | Goldenes Verdienstkreuz, 1. Modell 1832 – 1847, mit Monogramm „WK II” und „FW” | Sv | 2 500,– |
| 24 | Silbernes Verdienstkreuz | | 2 000,– |
| 25 | Goldenes Verdienstkreuz, 2. Modell 1847 – 1852, Bogen-Kreuz mit Monogramm „FW” u. Löwe | Sv | 3 000,– |
| 26 | Silbernes Verdienstkreuz, (am Kriegs- und Friedensband) | | 2 500,– |
| 27 | Silbernes Verdienstkreuz gerade Arme, mit Monogramm „FW” | | 1 500,– |

## Zivile Ehrenzeichen

| | | | |
|---|---|---|---|
| 28 | Silberne Zivil-Verdienstmedaille | | 700,– |
| 29 | Bronzene Zivil-Verdienstmedaille | | 500,– |

23, 24

25, 26

27

Militärische Ehrenzeichen

| | | | |
|---|---|---|---|
| 30 | Goldene Militär-Verdienstmedaille | Sv | 725,– |
| 31 | Silberne Militär-Verdienstmedaille | | 500,– |
| 32 | Kriegsdenkmünze 1814 – 1818 für Kämpfer | | 135,– |
| 33 | Kriegsdenkmünze 1814 – 1815 für Nichtkämpfer | | 450,– |
| 34 | Offiziersdienstauszeichnungskreuz | vg | 350,– |

28, 29

28, 29

30, 31

32,33

35

| | | |
|---|---|---|
| 35 | Militär-Dienstauszeichnungskreuz für 20 Jahre | 275,– |
| 36 | Militär-Dienstauszeichnungskreuz für 15 Jahre | 250,– |

| | | |
|---|---|---|
| 37 | Militär-Dienstauszeichnungskreuz für 10 Jahre | 200,– |
| 38 | Dienstauszeichnung (Schnalle) 1. Klasse für 21 Jahre | 250,– |
| 39 | Dienstauszeichnung 2. Klasse für 15 Jahre | 175,– |
| 40 | Dienstauszeichnung 3. Klasse für 9 Jahre | 150,– |

# Hohenlohe

Phoenix-Orden

| | | |
|---|---|---|
| 1 | Hausordenskreuz | 18 000,– |
| 2 | Bruststern zum Hausordenskreuz | 5 000,– |
| 3 | Kommandeurkreuz | 6 000,– |
| 4 | Bruststern zum Kommandeurkreuz | 13 000,– |
| 5 | Ritterkreuz | 4 500,– |

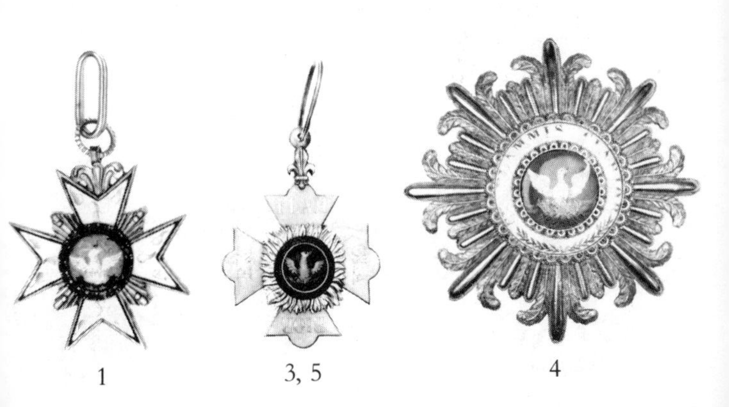

1 3, 5 4

# Hohenzollern

## Hausorden von Hohenzollern

| | | |
|---|---|---|
| 1 | Großkomturkreuz an der Kette | * |
| 2 | Großkomturkreuz mit Schwertern an der Kette | * |
| 3 | Bruststern zum Großkomturkreuz | 2 500,– |
| 4 | Bruststern zum Großkomturkreuz mit Schwertern | 3 000,– |
| 5 | Ehrenkreuz 1. Klasse | 1 200,– |
| 6 | Ehrenkreuz 1. Klasse mit Schwertern | 1 750,– |
| 7 | Ehrenkomturkreuz mit Krone | 3 000,– |
| 8 | Ehrenkomturkreuz mit Krone und Schwertern | 4 000,– |
| 9 | Ehrenkomturkreuz | 2 400,– |
| 10 | Ehrenkomturkreuz mit Schwertern | 3 000,– |

3

5

6

11

14

| | | |
|---|---|---|
| 11 | Bruststern zum Ehrenkomturkreuz | 2 200,– |
| 12 | Bruststern zum Ehrenkomturkreuz mit Schwertern | 3 000,– |
| 13 | Ehrenkreuz 2. Klasse mit der Krone | 1 500,– |
| 14 | Ehrenkreuz 2. Klasse mit Krone und Schwertern | 1 750,– |
| 15 | Ehrenkreuz 2. Klasse | 1 200,– |
| 16 | Ehrenkreuz 2. Klasse mit Schwertern | 1 350,– |
| 17 | Ehrenkreuz 3. Klasse mit Krone | 1 050,– |
| 18 | Ehrenkreuz 3. Klasse mit Krone und Schwertern | 1 150,– |
| 19 | Ehrenkreuz 3. Klasse mit Eichenlaub | 1 250,– |
| 20 | Ehrenkreuz 3. Klasse mit Eichenlaub und Schwertern | 1 500,– |
| 21 | Ehrenkreuz 3. Klasse | 335,– |
| 22 | Ehrenkreuz 3. Klasse mit Schwertern | 380,– |
| 23 | Goldenes Verdienstkreuz | 1 000,– |
| 24 | Goldenes Verdienstkreuz mit Schwertern | 1 200,– |
| 25 | Silbernes Verdienstkreuz | 800,– |
| 26 | Silbernes Verdienstkreuz mit Schwertern | 900,– |

16

17

20

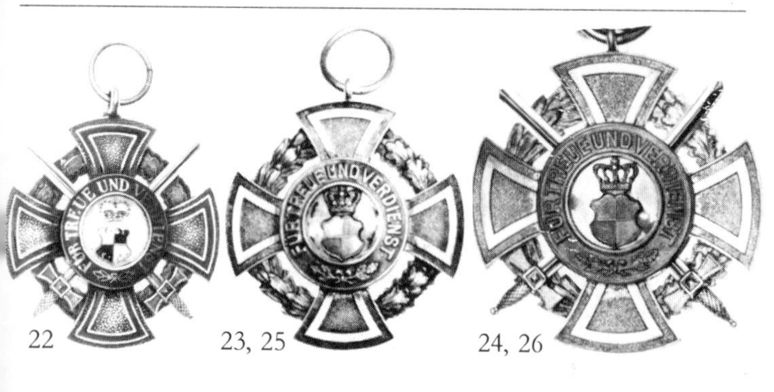


22 23, 25 24, 26

| Nr. | Bezeichnung | | Preis |
|---|---|---|---|
| 27 | Goldene Ehrenmedaille 1. Prägung (ohne Datum) | G | 1 500,– |
| | | Sv | 550,– |
| 28 | Silberne Ehrenmedaille 1. Prägung | | 420,– |
| 29 | Goldene Ehrenmedaille 2. Prägung (Datum „Den 5t Dezember 1841") | Sv | 500,– |
| 30 | Silberne Ehrenmedaille 2. Prägung | | 400,– |

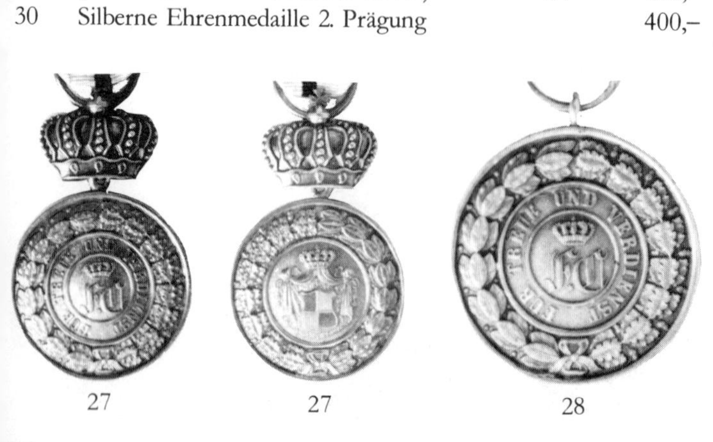

27 27 28

| | | | |
|---|---|---|---|
| 31 | Silberne Ehrenmedaille 2. Prägung mit Schwertern | | 500,– |
| 32 | Goldene Ehrenmedaille 3. Prägung (Datum „lt Januar 1842") | Sv | 200,– |
| 33 | Goldene Ehrenmedaille 3. Prägung mit Schwertern | | 225,– |
| 34 | Silberne Ehrenmedaille 3. Prägung | | 130,– |
| 35 | Silberne Ehrenmedaille 3. Prägung mit Schwertern | | 175,– |

28

33, 35

33, 35

36

39

42

43

Bene-Merenti-Orden

Abteilung für Herren

| | | |
|---|---|---|
| 36 | Großkreuz (Halskreuz mit Krone) | * |
| 37 | Bruststern des Großmeisters | * |
| 38 | 1. Klasse (Halskreuz mit Krone) | 1 500,– |
| 39 | 2. Klasse (Halskreuz) | 820,– |
| 40 | 3. Klasse (Steckkreuz) | 600,– |
| 41 | 4. Klasse (Brustkreuz ohne Emaille) | 500,– |

Abteilung für Damen

| | | |
|---|---|---|
| 42 | Großehrenkreuz für die Prinzessinnen des Hauses (mit Krone und Strahlen) | * |

| | | | |
|---|---|---|---|
| 43 | 1. Klasse (ohne Krone, nur Strahlen) | | 850,– |
| 44 | 2. Klasse (ohne Krone, ohne Strahlen) | | 700,– |
| 45 | 3. Klasse (Silberkreuz) | | 550,– |

46

47, 48

49–51

Medaillen

| | | | |
|---|---|---|---|
| 46 | Runde Medaille mit Krone und Schwertern | G | * |
| 47 | Große Medaille | G | 2 500,– |
| 48 | Kleine Medaille | G | 1 800,– |
| 49 | Goldene ovale Medaille | Sv | 700,– |
| 50 | Silberne ovale Medaille | | 600,– |
| 51 | Bronzene ovale Medaille | | 500,– |

Zivile Ehrenzeichen

| | | | |
|---|---|---|---|
| 52 | Goldene Fürst-Carl-Anton-Erinnerungs-medaille | Sv | 400,– |
| 53 | Silberne Medaille, wie vor | | 250,– |
| 54 | Bronzene Medaille, wie vor | | 165,– |

Militärische Ehrenzeichen

| | | | |
|---|---|---|---|
| 55 | Offiziersdienstauszeichnungskreuz für 25 Jahre | | 1 000,– |

Dienstauszeichnung, Schnalle

| | | |
|---|---|---|
| 56 | 1. Klasse für 20 Jahre | 200,– |
| 57 | 2. Klasse für 15 Jahre | 150,– |
| 58 | 3. Klasse für 10 Jahre | 135,– |

52–54

# Isenburg-Birstein

Hausorden Pour mes Amis

| | | |
|---|---|---|
| 1 | Ordenskreuz | * |

Militärische Ehrenzeichen

| | | |
|---|---|---|
| 2 | Silberne Kriegsdenkmünze 1814 – 1815 (4 Prägevarianten) | 2 200,– |

# Köln

Militärische Ehrenzeichen

| | | |
|---|---|---|
| 1 | Goldene Tapferkeitsmedaille | * |
| 2 | Silberne Tapferkeitsmedaille | 2 000,– |
| 3 | Bronzene Tapferkeitsmedaille | 1 000,– |

# Lippe-Detmold

## Orden des Ehrenkreuzes

| | 1. Modell mit Monogramm „LA" | |
|---|---|---|
| 1 | Großkreuz | 4 000,– |
| 2 | Großkreuz mit Schwertern | 5 000,– |
| 3 | Bruststern zum Großkreuz | 4 000,– |
| 4 | Bruststern zum Großkreuz mit Schwertern | 6 000,– |
| 5 | 1. Klasse mit Eichenlaub | 5 000,– |
| 6 | 1. Klasse mit Eichenlaub und Schwertern | 6 000,– |
| 7 | 1. Klasse mit Eichenlaub und Schwertern am Ring | * |

1, 8, 29, 36    2, 9, 30, 37    4, 32

| | | |
|---|---|---|
| 8 | 1. Klasse | 4 000,– |
| 9 | 1. Klasse mit Schwertern | 5 000,– |
| 10 | 1. Klasse mit Schwertern am Ring | * |
| 11 | 2. Klasse mit Eichenlaub | 2 500,– |
| 12 | 2. Klasse mit Eichenlaub und Schwertern | 3 500,– |
| 13 | 2. Klasse mit Eichenlaub und Schwertern am Ring | * |
| 14 | 2. Klasse | 1 800,– |
| 15 | 2. Klasse mit Schwertern | 2 500,– |

14, 42

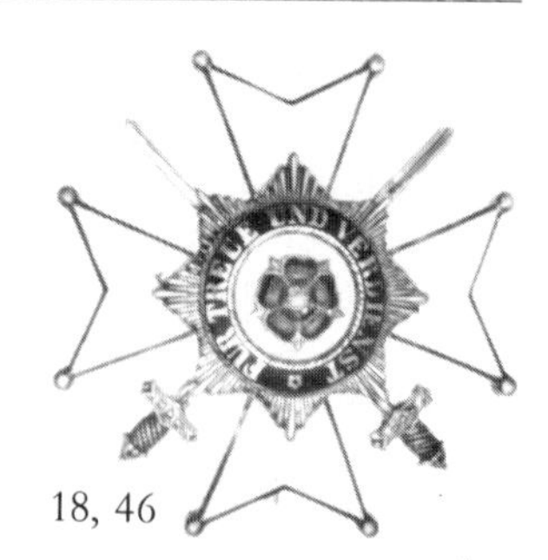

18, 46

| | | | |
|---|---|---|---|
| 16 | 2. Klasse mit Schwertern am Ring | | * |
| 17 | Offiziersehrenkreuz | | 1 000,– |
| 18 | Offiziersehrenkreuz mit Schwertern | | 1 500,– |
| 19 | 3. Klasse mit Eichenlaub | | 1 400,– |
| 20 | 3. Klasse mit Eichenlaub und Schwertern | | 1 800,– |
| 21 | 3. Klasse mit Eichenlaub und Schwertern am Ring | | * |
| 22 | 3. Klasse | | 1 100,– |
| 23 | 3. Klasse mit Schwertern | | 1 400,– |
| 24 | 3. Klasse mit Schwertern am Ring | | * |
| 25 | 4. Klasse | | 480,– |
| 26 | 4. Klasse mit Schwertern | | 600,– |
| 27 | Goldenes Verdienstkreuz | Sv | 330,– |
| 28 | Silbernes Verdienstkreuz | | 270,– |
| | 2. Modell mit Monogramm „L" | | |
| 29 | Großkreuz | | 4 000,– |
| 30 | Großkreuz mit Schwertern | | 5 000,– |
| 31 | Bruststern zum Großkreuz | | 4 000,– |
| 32 | Bruststern zum Großkreuz mit Schwertern | | 6 000,– |
| 33 | 1. Klasse mit Eichenlaub | | 5 000,– |
| 34 | 1. Klasse mit Eichenlaub und Schwertern | | 6 000,– |
| 35 | 1. Klasse mit Eichenlaub und Schwertern am Ring | | * |

| | | |
|---|---|---|
| 36 | 1. Klasse | 4 000,– |
| 37 | 1. Klasse mit Schwertern | 5 000,– |
| 38 | 1. Klasse mit Schwertern am Ring | * |
| 39 | 2. Klasse mit Eichenlaub | 2 500,– |
| 40 | 2. Klasse mit Eichenlaub und Schwertern | 3 500,– |

25, 54 27, 28

| | | |
|---|---|---|
| 41 | 2. Klasse mit Eichenlaub und Schwertern am Ring | * |
| 42 | 2. Klasse | 2 000,– |
| 43 | 2. Klasse mit Schwertern | 2 500,– |
| 44 | 2. Klasse mit Schwertern am Ring | * |
| 45 | Offiziersehrenkreuz | 1 000,– |
| 46 | Offiziersehrenkreuz mit Schwertern | 1 500,– |
| 47 | 3. Klasse mit Eichenlaub | 1 400,– |
| 48 | 3. Klasse mit Eichenlaub und Schwertern | 1 800,– |
| 49 | 3. Klasse mit Eichenlaub und Schwertern am Ring | * |
| 50 | 3. Klasse | 1 250,– |
| 51 | 3. Klasse mit Schwertern | 1 400,– |
| 52 | 3. Klasse mit Schwertern am Ring | * |
| 53 | 4. Klasse 1. Abteilung (mit Strahlenkranz) | 400,– |
| 54 | 4. Klasse mit Schwertern | 600,– |
| 55 | 4. Klasse 2. Abteilung (ohne Strahlenkranz) | 325,– |
| 56 | 4. Klasse mit Schwertern | 400,– |

58

55

62

Leopold-Orden

| | | |
|---|---|---|
| | 1. Modell 1906 – 1908 Silbernes Kreuz, in der Mitte Rose | |
| 57 | Kreuz mit Krone | 4 000,– |
| 58 | Kreuz ohne Krone | 3 000,– |
| | 2. Modell 1908 – 1910 Silbernes Kreuz, in der Mitte „L" | |
| 59 | Steckkreuz mit Krone | 4 000,– |
| 60 | Kreuz mit Krone am Band | 2 500,– |
| 61 | Kreuz ohne Krone am Band | 2 000,– |
| 62 | Silbernes Verdienstkreuz 1908 – 1918 | 600,– |
| 63 | Silberne Medaille 1908 – 1918 | 300,– |
| 64 | Bronzene Medaille 1908 – 1918 | 230,– |
| | 3. Modell 1910 – 1916 emailliert, in der Mitte Rose | |
| 65 | Kollane | * |
| 66 | Großehrenkreuz (an der Brust zu tragen) | 6 500,– |
| 67 | 2. Klasse (mit Krone) | 5 000,– |
| 68 | 3. Klasse (ohne Krone) | 3 000,– |
| 69 | Silbernes Verdienstkreuz mit Krone 1910 – 1918 | 1 000,– |

| | | |
|---|---|---|
| 70 | Goldene Medaille 1910 – 1918 | 600,– |
| | 4. Modell 1916 – 1918 emailliert, in der Mitte Schwalbe | |
| 71 | Kollane | * |
| 72 | Großehrenkreuz | 6 500,– |
| 73 | 2. Klasse | 5 000,– |
| 74 | 3. Klasse | 3 000,– |
| 75 | Goldene Medaille mit Schwertern | 800,– |
| 76 | Silberne Medaille mit Schwertern | 400,– |
| 77 | Bronzene Medaille mit Schwertern | 350,– |

## Bertha-Orden

| | | |
|---|---|---|
| 78 | Ordenskreuz | 500,– |

## Orden für Kunst und Wissenschaft

(sog. Lippesche Rose)

| | | |
|---|---|---|
| 79 | 1. Klasse | 1 200,– |
| 80 | 2. Klasse | 500,– |
| 81 | 3. Klasse | 300,– |

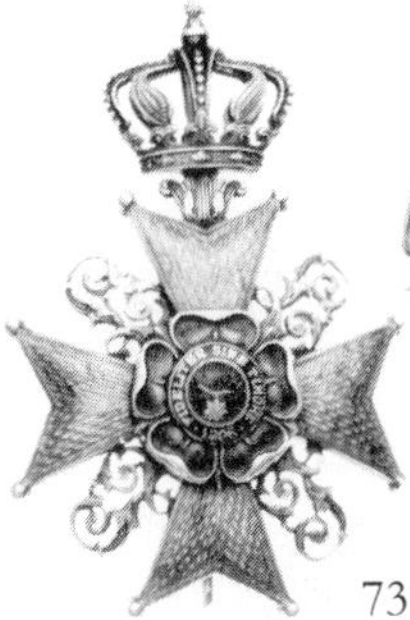

73

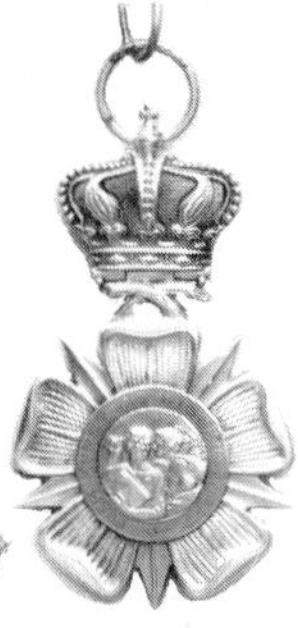

79

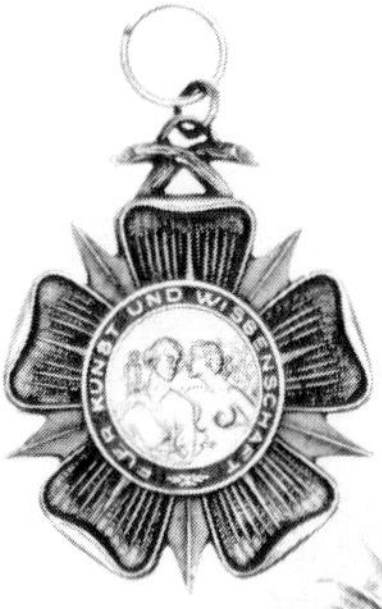

81

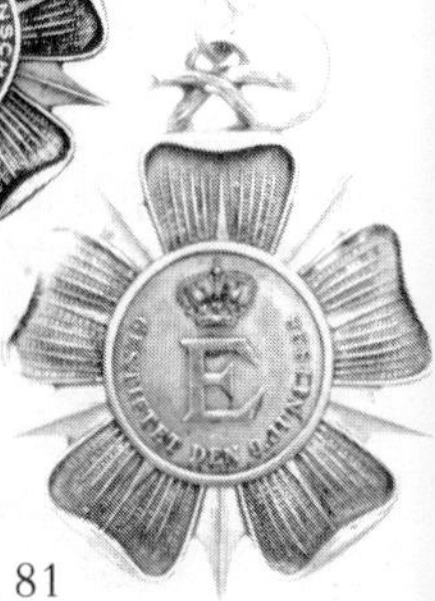

79, 80, 81

## Zivile Ehrenzeichen

| Nr. | Bezeichnung | | Preis |
|---|---|---|---|
| 82 | Goldene Verdienstmedaille, 1. Modell 1869 – 1877 | G | 1 500,– |
| 83 | Silberne Verdienstmedaille | | 400,– |
| 84 | Goldene Verdienstmedaille, 2. Modell 1888 – 1918, (2 Prägungen) | Sv | 400,– |
| 85 | Silberne Verdienstmedaille | | 325,– |
| 86 | Zivilverdienstmedaille | | 300,– |
| 87 | Frauenverdienstkreuz | | 150,– |
| 88 | Frauenverdienstmedaille (2 Prägungen) | | 100,– |
| 89 | Erinnerungsmedaille an den erstrittenen Thronanspruch | | 175,– |
| 89/1 | Erinnerungsmedaille an den Einzug des Graf-Regenten Ernst 1897 | | 150,– |
| 90 | Erinnerungsmedaille an den erstrittenen Thronanspruch 1905 | | 150,– |
| 91 | Rettungsmedaille 1888 – 1905 | | 300,– |
| | 1905 – 1918 | | 300,– |

84, 85

96

98

102

Militärische Ehrenzeichen

| Nr. | Bezeichnung | Preis |
|---|---|---|
| 93 | Militär-Verdienstmedaille, 1. Modell 1832 – 1914 | 195,– |
| 94 | Militär-Verdienstmedaille, 2. Modell 1914 – 1918 | 200,– |
| 95 | Feldzugerinnerungsmedaille 1866 | 350,– |
| 96 | Kriegsehrenkreuz für heldenmütige Tat 1914 – 1918 | 350,– |
| 97 | Kriegsverdienstkreuz 1914 – 1918 | |
| | am Band für Kämpfer | 80,– |
| | am Band für Nichtkämpfer | 80,– |
| 98 | Kriegsehrenmedaille | |
| | am Band für Feindesland | 80,– |
| | am Band für Heimatverdienste | 80,– |
| 99 | Offiziersdienstauszeichnungskreuz für 25 Jahre | 250,– |
| 100 | Dienstauszeichnung für 20 Jahre (Schnalle) | 125,– |
| 101 | Dienstauszeichnung für 10 Jahre (Schnalle) | 100,– |
| 102 | Kriegervereinverdienstkreuz | 250,– |

# Lübeck

Zivile Ehrenzeichen

| | | | |
|---|---|---|---|
| 1 | Silberne Rettungsmedaille (nicht tragbar) | | 300,– |
| 2 | Silberne Rettungsmedaille am Band | | 300,– |

Militärische Ehrenzeichen

| | | | |
|---|---|---|---|
| 3 | Hanseatenkreuz | | 85,– |
| 4 | Goldenes Dienstauszeichnungskreuz für Offiziere für 25 Jahre | | 1 000,– |
| 5 | Silbernes Dienstauszeichnungskreuz für Offiziere für 20 Jahre bzw. für Unteroffiziere für 25 Jahre | | 500,– |
| 6 | Goldene Dienstauszeichnungsschnalle für 20 Jahre | | 200,– |
| 7 | Silberne Dienstauszeichnungsschnalle für 15 Jahre | | 150,– |

# Mainz

Zivile Ehrenzeichen

| | | | |
|---|---|---|---|
| 1 | Goldene Verdienstmedaille | Sv | 1 200,– |
| 2 | Silberne Verdienstmedaille | | 1 000,– |

Militärische Ehrenzeichen

| | | | |
|---|---|---|---|
| 3 | Goldene Tapferkeitsmedaille | | * |
| 4 | Silberne Tapferkeitsmedaille | | 1 800,– |
| 5 | Bronzene Tapferkeitsmedaille | | 900,– |
| 6 | Silberne Tapferkeitsmedaille für den Mainzer Landsturm 1799 – 1800 | | 1 500,– |

# Mecklenburg-Schwerin

## Orden der Wendischen Krone

| Nr. | Bezeichnung | | Preis |
|---|---|---|---|
| 1 | Kollane | | * |
| 2 | Großkreuz mit der Krone in Erz | | 7 500,– |
| 3 | Großkreuz mit der Krone in Erz und mit Schwertern | | * |
| 4 | Großkreuz mit der Krone in Gold | G | 6 000,– |
| | | Sv | 5 000,– |
| 5 | Großkreuz mit der Krone in Gold mit Schwertern | | * |
| 6 | Bruststern zum Großkreuz mit der Krone in Erz | | 3 500,– |

| | | | |
|---|---|---|---|
| 7 | Bruststern zum Großkreuz mit der Krone in Erz mit Schwertern | | * |
| 8 | Bruststern zum Großkreuz mit der Krone in Gold | | 2 750,– |
| 9 | Bruststern zum Großkreuz mit der Krone in Gold mit Schwertern | | * |
| 10 | Komturkreuz | | 4 000,– |
| 11 | Bruststern zum Großkomtur | | 3 000,– |
| 12 | Ritterkreuz | G | 1 200,– |
| | | Sv | 600,– |
| 13 | Ritterkreuz mit Schwertern | | * |
| 14 | Goldenes Verdienstkreuz | G | 2 000,– |
| | | Sv | 400,– |
| 15 | Silbernes Verdienstkreuz | | 300,– |

16, 20, 24

21

23

Greifen-Orden

| | | |
|---|---|---|
| 16 | Großkreuz | 1 100,– |
| 18 | Bruststern zum Großkreuz | 1 250,– |
| 20 | Komturkreuz | 350,– |
| 21 | Bruststern der Großkomture | 825,– |
| 22 | Offizierssteckkreuz | 275,– |
| 23 | Ritterkreuz mit Krone | 350,– |
| 24 | Ritterkreuz | 220,– |

## Zivile Ehrenzeichen

| Nr. | Beschreibung | Preis |
|---|---|---|
| | Verdienstmedaille „Dem redlichen Manne und dem guten Bürger” | |
| 25 | Goldene Medaille mit Herzog Friedrich Franz 1798 – 1815 | * |
| 26 | Silberne Medaille, wir vor | 1 500,– |
| 27 | Goldene Medaille mit Großherzog Friedrich Franz 1815 – 1872 | * |
| 28 | Silberne Medaille, wie vor | 800,– |
| 29 | Goldene Medaille mit Großherzog Friedrich Franz II. (1872 – 1883, Kopf mit Vollbart) | 2 500,– |
| 30 | Silberne Medaille, wie vor | 500,– |
| 31 | Bronzene Medaille, wie vor | 300,– |
| 32 | Goldene Verdienstmedaille mit Friedrich Franz II. (1859 – 1872, mit Backen- u. Schnurrbart) | 2 000,– |
| 33 | Silberne Medaille, wie vor | 250,– |
| 34 | Bronzene Medaille, wie vor (feuervergoldet) | 200,– |
| 35 | Goldene Verdienstmedaille mit Friedrich Franz II. (1872 – 1918, Kopf mit Vollbart) | 1 800,– |
| 36 | Silberne Medaille, wie vor | 165,– |
| 37 | Bronzene Medaille, wie vor | 140,– |

29–31

35–37

39

| | | |
|---|---|---|
| 38 | Bronzene Verdienstmedaille mit dem Kopf Friedrich Franz IV. 1897 – 1918 | 190,– |
| 39 | Kleine Silberne Verdienstmedaille für Zivil (mit Öse, 2 verschiedene Bänder) | 150,– |
| 40 | Kleine Silberne Verdienstmedaille für Militär (2 verschiedene Bänder) | 150,– |
| 41 | Medaille für opferwillige Hilfe in der Wassersnot 1888 | 320,– |
| 42 | Gedächtnismedaille für Friedrich Franz III. 1897 | 135,– |

42

| | | |
|---|---|---|
| 43 | Erinnerungsmedaille für die Teilnehmer an der Afrika-Expedition 1907 – 1908 | 750,– |
| 44 | Goldene Medaille für Kunst und Wissenschaft mit Großherzog Friedrich Franz I. 1815 – 1918 | 3 000,– |
| 45 | Silberne Medaille, wie vor (2 versch. Bänder) | 400,– |
| 46 | Goldene Medaille für Kunst und Wissenschaft mit Großherzog Friedrich Franz II. (nach 1872) | 3 000,– |
| 47 | Silberne Medaille, wie vor | 400,– |

## Militärische Ehrenzeichen

| | | |
|---|---|---|
| 48 | Ovale Goldene Militärverdienstmedaille 1813 | 3 500,– |
| 49 | Ovale Silberne Militärverdienstmedaille 1813 | 750,– |

| | | |
|---|---|---|
| 50 | Kriegsdenkmünze 1808 – 1815 (gestiftet 1841) | 190,– |
| 51 | dieselbe mit Jubiläumsspange „1813 – 1863" | 350,– |
| 52 | Kriegsdenkmünze 1848 – 1849 | 400,– |
| 53 | Militärverdienstkreuz 1848 Steckkreuz | * |
| 54 | Militärverdienstkreuz 1848 am Band | 500,– |

54, 56, 58,
60, 61, 63,
64, 66, 67,
69–71, 73, 74

| | | |
|---|---|---|
| 55 | Militärverdienstkreuz 1849 Steckkreuz | * |
| 56 | Militärverdienstkreuz 1849 am Band | 500,– |
| 57 | Militärverdienstkreuz 1859 Steckkreuz | * |
| 58 | Militärverdienstkreuz 1859 am Band | 700,– |
| 59 | Militärverdienstkreuz 1864 Steckkreuz | 700,– |
| 60 | Militärverdienstkreuz 1864 am Band | 400,– |
| 61 | Militärverdienstkreuz 1864 für Frauen | 700,– |
| 62 | Militärverdienstkreuz 1866 Steckkreuz | 600,– |
| 63 | Militärverdienstkreuz 1866 am Band | 350,– |
| 64 | Militärverdienstkreuz 1866 für Frauen | 600,– |
| 65 | Militärverdienstkreuz 1870 Steckkreuz | 500,– |
| 66 | Militärverdienstkreuz 1870 am Band f. Kämpfer | 200,– |
| | Militärverdienstkreuz 1870 am Band für Nichtkämpfer | 240,– |
| 67 | Militärverdienstkreuz 1870 für Frauen | 500,– |
| 68 | Militärverdienstkreuz 1877 1. Klasse | 800,– |
| 69 | Militärverdienstkreuz 1877 2. Klasse | 500,– |
| 70 | Militärverdienstkreuz 1900 | 500,– |

| | | | |
|---|---|---|---|
| 71 | Militärverdienstkreuz ohne Jahreszahl | | 450,– |
| 72 | Militärverdienstkreuz 1914 1. Klasse | | 100,– |
| 73 | Militärverdienstkreuz 1914 2. Klasse | | |
| | am Band f. Kämpfer | | 50,– |
| | am Band f. Nichtkämpfer | | 55,– |
| 74 | Militärverdienstkreuz 1914 für Frauen | | 250,– |
| 75 | Friedrich Franz-Kreuz 1917 | | 115,– |
| 76 | Friedrich Franz-Alexandra-Kreuz (am Band des MVK) | | 350,– |

76

| | | | |
|---|---|---|---|
| 77 | Offiziersdienstauszeichnungskreuz für 65 Jahre | | * |
| 78 | Offiziersdienstauszeichnungskreuz für 60 Jahre | G | * |
| 79 | Offiziersdienstauszeichnungskreuz für 55 Jahre | G | * |
| 80 | Offiziersdienstauszeichnungskreuz für 50 Jahre | G | * |
| 81 | Offiziersdienstauszeichnungskreuz für 45 Jahre | G | * |
| 82 | Offiziersdienstauszeichnungskreuz für 40 Jahre | G | * |
| 83 | Offiziersdienstauszeichnungskreuz für 35 Jahre | G | 1 500,– |

| | | | |
|---|---|---|---|
| 84 | Offiziersdienstauszeichnungskreuz für 30 Jahre | G | 1 000,– |
| 85 | Offiziersdienstauszeichnungskreuz für 25 Jahre | G | 600,– |
| | | vg | 250,– |
| 86 | Militärdienstauszeichnungskreuz für XXV Jahre 1841 – 1868 | | 250,– |
| 87 | Militärdienstauszeichnungskreuz für XX Jahre | | 200,– |
| 88 | Militärdienstauszeichnungskreuz für XV Jahre | | 130,– |
| 89 | Militärdienstauszeichnungskreuz für X Jahre | | 135,– |
| 90 | Militärdienstauszeichnungskreuz für XXI Jahre 1868 – 1913 | | 200,– |
| 91 | Militärdienstauszeichnungskreuz für XV Jahre | | 135,– |
| 92 | Militärdienstauszeichnungskreuz für IX Jahre | | 120,– |
| 93 | Militärdienstauszeichnungskreuz für 15 Jahre 1913 – 1918 | | 125,– |
| 94 | Militärdienstauszeichnungskreuz für 12 Jahre | | 100,– |
| 95 | Landwehrdienstauszeichnung 2. Klasse (Schnalle) | | 150,– |
| 96 | Landwehrdienstauszeichnung 2. Klasse (Medaille) | | 60,– |
| 97 | Kriegervereinsmedaille | | 150,– |

# Mecklenburg-Strelitz

## Orden der Wendischen Krone

| | | |
|---|---|---|
| 1 | Kollane | * |
| 2 | Großkreuz mit der Krone in Erz | 10 000,– |
| 3 | Großkreuz mit der Krone in Erz mit Schwertern | * |
| 4 | Großkreuz mit der Krone in Gold | 8 000,– |
| 5 | Großkreuz mit der Krone in Gold mit Schwertern | * |

| | | | |
|---|---|---|---|
| 6 | Bruststern zum Großkreuz mit der Krone in Erz | | 4 500,– |
| 7 | Bruststern zum Großkreuz mit der Krone in Erz mit Schwertern | | * |
| 8 | Bruststern zum Großkreuz mit der Krone in Gold | | 3 500,– |
| 9 | Bruststern zum Großkreuz mit der Krone in Gold mit Schwertern | | * |
| 10 | Komturkreuz | | 5 000,– |
| 11 | Bruststern zum Großkomtur | | 4 000,– |
| 12 | Ritterkreuz | | 1 500,– |
| 13 | Goldenes Verdienstkreuz | vg | 500,– |
| 14 | Silbernes Verdienstkreuz | | 400,– |

11

13, 14

Zivile Ehrenzeichen

| | | | |
|---|---|---|---|
| 15 | Goldene Verdienstmedaille mit Monogramm „AF", 1904 – 1914 | Sv | 300,– |
| 16 | Silberne Verdienstmedaille, wie vor | | 190,– |
| 17 | Bronzene Verdienstmedaille, wie vor | | 150,– |
| 18 | Goldene Verdienstmedaille mit Bildnis von Adolf Friedrich, 1914 – 1918 | Sv | 300,– |

| | | | |
|---|---|---|---|
| 19 | Silberne Verdiensmedaille, wie vor | | 200,– |
| 20 | Bronzene Verdienstmedaille, wie vor | | 140,– |
| 21 | Goldene Medaille zur Goldenen Hochzeit des großherzoglichen Paares | G | 1 200,– |
| | | Sv | 350,– |
| | | vg | 200,– |
| 22 | Goldene Medaille zur Diamantenen Hochzeit des großherzoglichen Paares | G | 1 200,– |
| 23 | Silberne Medaille, wie vor | | 250,– |
| 24 | Bronzene Medaille, wie vor | | 180,– |
| 25 | Gedächtnismedaille für den Großherzog Adolf Friedrich V. 1914 | | 150,– |
| 26 | Silberne Medaille für Rettung aus Lebensgefahr | | 400,– |
| 27 | Orden für Kunst und Wissenschaft | Sv | 1 250,– |
| 28 | Orden für Kunst und Wissenschaft | S | 800,– |
| 29 | Goldenes Kreuz für weibliches Personal für 40 Dienstjahre | | 620,– |
| 30 | wie vor, für 25 Dienstjahre | | 480,– |
| 31 | Silbernes Kreuz für weibliches Personal für 40 Dienstjahre | | 400,– |
| 32 | wie vor, für 30 Dienstjahre | | 325,– |

Militärische Ehrenzeichen

| | | | |
|---|---|---|---|
| 33 | Kreuz für Auszeichnung im Kreise Monogramm „FW", 1871 – 1914 „Für Tapferkeit" | | 900,– |
| 34 | wie vor, „Tapfer und treu" am Band f. Kämpfer | | 300,– |
| | am Band f. Nichtkämpfer | | 325,– |
| 35 | wie vor, 1. Klasse 1915 – 1918 | S | 550,– |
| | | vs | 450,– |

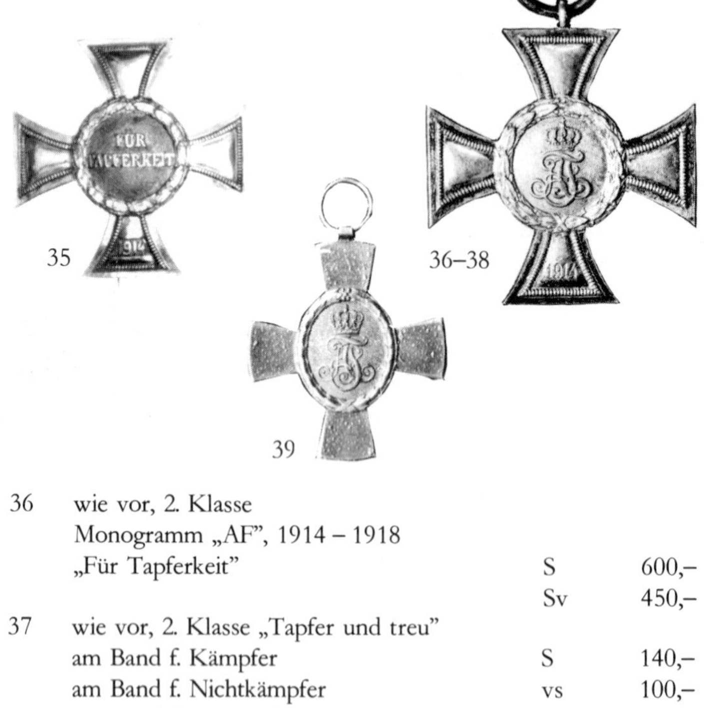


35 36–38 39

| | | | |
|---|---|---|---|
| 36 | wie vor, 2. Klasse<br>Monogramm „AF", 1914 – 1918<br>„Für Tapferkeit" | S | 600,– |
| | | Sv | 450,– |
| 37 | wie vor, 2. Klasse „Tapfer und treu" | | |
| | am Band f. Kämpfer | S | 140,– |
| | am Band f. Nichtkämpfer | vs | 100,– |
| | am Band für Kämpfer | S | 150,– |
| | am Band f. Nichtkämpfer | vs | 100,– |
| 38 | wie vor, für Frauen | S | 400,– |
| | | vs | 300,– |
| 39 | Adolf Friedrich-Kreuz | | 200,– |
| 40 | Offiziersdienstauszeichnungskreuz<br>für 25 Jahre | G | 1 000,– |
| | | vg | 375,– |

| | Militärauszeichnungskreuz | | |
|---|---|---|---|
| 41 | 1. Klasse für 25 Jahre 1846 – 1872 | | 325,– |
| 42 | 2. Klasse für 18 Jahre | | 300,– |
| 43 | 3. Klasse für 12 Jahre | | 250,– |
| 44 | 1. Klasse für 21 Jahre 1869 – 1913 | S | 350,– |
| 45 | 2. Klasse für 15 Jahre | B | 250,– |

41–49

43, 48

41

| | | | |
|---|---|---|---|
| 46 | 3. Klasse für 9 Jahre (identisch mit 49) | B | 150,– |
| 47 | 1. Klasse für 15 Jahre 1913 – 1924 | vs | 120,– |
| 48 | 2. Klasse für 12 Jahre | B | 100,– |
| 49 | 3. Klasse für 9 Jahre (identisch mit 46) | B | 75,– |
| 50 | Landwehrdienstauszeichnung 2. Klasse (Schnalle) | | 150,– |
| 51 | Landwehrdienstauszeichnung 2. Klasse (Medaille) | | 70,– |
| 52 | Krieger-Vereinsmedaille | | 300,– |

# Nassau-Dillenburg

Jagd-Orden

| | | |
|---|---|---|
| 1 | Ordenskreuz | * |

# Nassau

Hausorden vom Goldenen Löwen

| | | |
|---|---|---|
| 1 | Ordenskreuz | * |
| 2 | Bruststern | * |

Verdienstorden Adolphs von Nassau

| | | |
|---|---|---|
| 3 | Großkreuz | 3 000,– |
| 4 | Großkreuz mit Schwertern | 4 000,– |
| 5 | Bruststern zum Großkreuz | 2 000,– |

5

| | | |
|---|---|---|
| 6 | Bruststern zum Großkreuz mit Schwertern | 2 500,– |
| 7 | Komturkreuz | 1 500,– |
| 8 | Komturkreuz mit Schwertern | 2 000,– |
| 9 | Bruststern zum Komturkreuz 1. Klasse | 2 000,– |
| 10 | Bruststern zum Komturkreuz 1. Klasse mit Schwertern | 2 500,– |
| 11 | Ritterkreuz | 500,– |
| 12 | Ritterkeuz mit Schwertern | 600,– |
| 13 | 4. Klasse | 325,– |

| | | |
|---|---|---|
| 14 | 4. Klasse mit Schwertern | 325,– |
| 15 | Silbernes Verdienstkreuz | 180,– |
| 16 | Silbernes Verdienstkeuz mit Schwertern | 220,– |

Zivile Ehrenzeichen

| | | |
|---|---|---|
| 17 | Goldene Zivilverdienstmedaille Herzog Friedrich August (nicht tragbar) | * |
| 18 | Silberne Medaille, wie vor (nicht tragbar) | 1 000,– |
| 20 | Silberne Zivilverdienstmedaille Herzog Wilhelm | 1 000,– |
| 21 | Goldene Zivilverdienstmedaille jüngerer Kopf Herzog Adolph | 2 500,– |
| 23 | Silberne Medaille, wie vor | 875,– |



17–18 19–20

| | | |
|---|---|---|
| 25 | Silberne Zivilverdienstmedaille, älterer Kopf Herzog Adolph | 900,– |
| 26 | Rettungsmedaille, jüngerer Kopf Herzog Adolph | 900,– |
| 27 | Rettungsmedaille, älterer Kopf Herzog Adolph | 1 000,– |
| 28 | Goldene Medaille für Kunst und Wissenschaft | 2 000,– |
| 29 | Silberne Medaille für Kunst und Wissenschaft | 800,– |

Nr. 30 - 38 nicht tragbar, gehenkelte Exemplare mit Trageerlaubnis waren möglich.

21–24

21–27

26, 43–44

| | | |
|---|---|---|
| 30 | Goldene Preismedaille des landwirtschaftlichen Vereins, jüngerer Kopf Herzog Adolph | 1 000,– |
| 31 | Große Silberne Medaille, wie vor (nicht tragbar) | 200,– |
| 32 | Kleine Silberne Medaille, wie vor | 200,– |
| 33 | Große Bronzene Medaille, wie vor (nicht tragbar) | 125,– |
| 34 | Kleine Bronzene Medaille, wie vor | 125,– |
| 35 | Große Silberne Medaille, wie vor älterer Kopf Herzog Adolph | 200,– |
| 36 | Mittlere Silberne Medaille, wie vor | 150,– |
| 37 | Kleine Silberne Medaille, wie vor | 125,– |
| 38 | Bronzene Medaille, wie vor | 110,– |

Militärische Ehrenzeichen

| | | |
|---|---|---|
| 39 | Goldene Tapferkeitsmedaille Herzog Friederich I. August | * |
| 40 | Silberne Medaille, wie vor | 650,– |

| | | | |
|---|---|---|---|
| 41 | Goldene Tapferkeitsmedaille Herzog Wilhelm | | * |
| 42 | Silberne Medaille, wie vor | | 1 000,– |
| 43 | Goldene Tapferkeitsmedaille Herzog Adolph | | * |
| 44 | Silberne Medaille, wie vor | | 1 000,– |

39–40

39–44

45–46

47

| | | | |
|---|---|---|---|
| 45 | Goldene Waterloo-Medaille | G | * |
| 46 | Silberne Waterloo-Medaille | | 330,– |
| 47 | Medaille für das Gefecht bei Eckernförde 1849 | | 850,– |
| 48 | Medaille für den Feldzug 1866 | | 100,– |
| 49 | Offiziersdienstauszeichnungskreuz für 50 Jahre | | * |

| | | |
|---|---|---|
| 50 | Offiziersdienstauszeichnungskreuz für 25 Jahre | 400,– |

50

| | | |
|---|---|---|
| 51 | Militärdienstauszeichnungskreuz für 22 Jahre | 350,– |
| 52 | Militärdienstauszeichnungskreuz für 16 Jahre | 250,– |
| 53 | Militärdienstauszeichnungskreuz für 10 Jahre | 175,– |

# Oldenburg

Haus- und Verdienstorden von Herzog Peter Friedrich Ludwig

| | | |
|---|---|---|
| 1 | Kollane | * |
| 2 | Goldenes Großkreuz | 4 000,– |
| 3 | Goldenes Großkreuz mit Schwertern | 6 000,– |
| 4 | Goldenes Großkreuz mit Schwertern am Ring | 6 500,– |
| 5 | Goldenes Großkreuz mit Schwertern und Lorbeer | * |
| 6 | Bruststern zum Goldenen Großkreuz | 1 550,– |

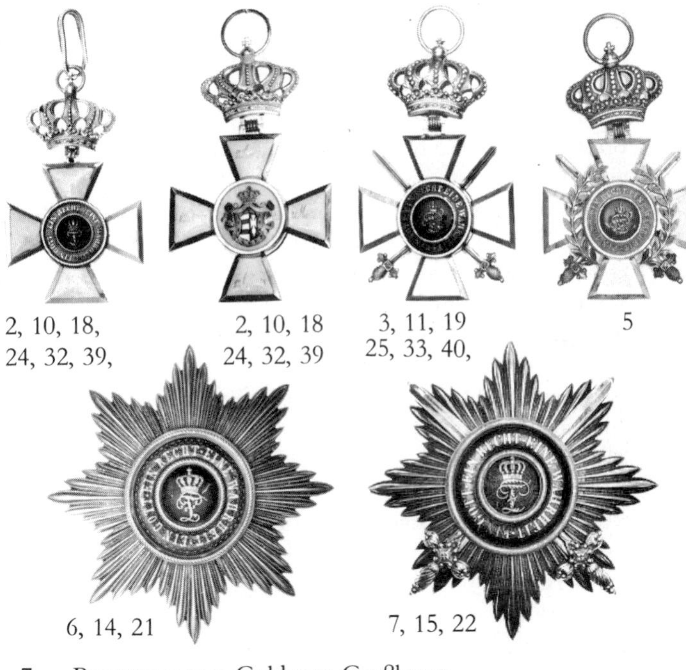

2, 10, 18, 24, 32, 39,

2, 10, 18, 24, 32, 39

3, 11, 19, 25, 33, 40,

5

6, 14, 21

7, 15, 22

| | | |
|---|---|---|
| 7 | Bruststern zum Goldenen Großkreuz mit Schwertern | 2 500,– |
| 8 | Bruststern zum Goldenen Großkreuz mit Schwertern am Ring | 2 800,– |
| 9 | Bruststern zum Goldenen Großkreuz mit Schwertern und Lorbeer | * |
| 10 | Großkreuz | 2 900,– |
| 11 | Großkreuz mit Schwertern | 3 800,– |
| 12 | Großkreuz mit Schwertern am Ring | 4 000,– |
| 13 | Großkreuz mit Schwertern und Lorbeer | * |

| | | |
|---|---|---|
| 14 | Bruststern zum Großkreuz | 1 400,– |
| 15 | Bruststern zum Großkreuz mit Schwertern | 2 500,– |
| 16 | Bruststern zum Großkreuz mit Schwertern am Ring | 2 800,– |
| 17 | Bruststern zum Großkreuz mit Schwertern und Lorbeer | * |
| 18 | Großkomturkreuz | 2 600,– |
| 19 | Großkomturkreuz mit Schwertern | 3 500,– |
| 20 | Großkomturkreuz mit Schwertern am Ring | 3 500,– |
| 21 | Bruststern zum Großkomturkreuz | 1 800,– |
| 22 | Bruststern zum Großkomturkreuz mit Schwertern | 2 500,– |
| 23 | Bruststern zum Großkomturkreuz mit Schwertern am Ring | 2 800,– |
| 24 | Komturkreuz | 1 800,– |
| 25 | Komturkreuz mit Schwertern | 3 000,– |
| 26 | Komturkreuz mit Schwertern am Ring | 3 200,– |
| 27 | Komturkreuz mit Schwertern und Lorbeer | 4 000,– |
| 28 | Offizierskreuz | 1 250,– |
| 29 | Offizierskreuz mit Schwertern | 2 500,– |
| 30 | Offizierskreuz mit Schwertern am Ring | 3 500,– |
| 31 | Offizierskreuz mit Schwertern und Lorbeer | * |
| 32 | Ritterkreuz 1. Klasse | 1 100,– |
| 33 | Ritterkreuz 1. Klasse mit Schwertern | 2 000,– |
| 34 | Ritterkreuz 1. Klasse mit Schwertern am Ring | 2 500,– |
| 35 | Ritterkreuz 1. Klasse mit Schwertern und Lorbeer | * |
| 36 | Ritterkreuz 2. Klasse mit Krone | 800,– |
| 37 | Ritterkreuz 2. Klasse mit Krone und Schwertern | 1 200,– |
| 38 | Ritterkreuz 2. Klasse mit Krone und Schwertern am Ring | * |

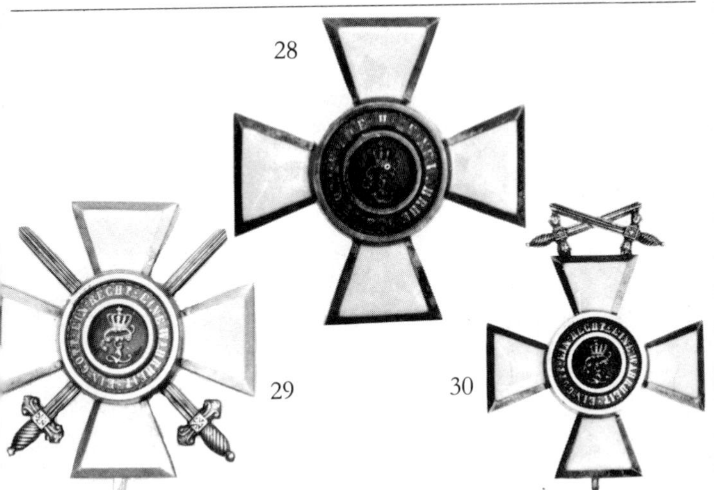


| | | |
|---|---|---|
| 39 | Ritterkreuz 2. Klasse | 625,– |
| 40 | Ritterkreuz 2. Klasse mit Schwertern | 1 050,– |
| 41 | Ehrenkreuz 1. Klasse mit Krone | 750,– |
| 42 | Ehrenkreuz 1. Klasse mit Krone und Schwertern | * |
| 43 | Ehrenkreuz 1. Klasse | 475,– |
| 44 | Ehrenkreuz 1. Klasse mit Schwertern | 1 800,– |

## Oldenburg

| | | |
|---|---|---|
| 45 | Ehrenkreuz 1. Klasse mit Schwertern am Ring | 1 800,– |
| 46 | Ehrenkreuz 2. Klasse | 435,– |
| 47 | Ehrenkreuz 2. Klasse mit Schwertern | 900,– |
| 48 | Ehrenkreuz 2. Klasse mit Schwertern am Ring | 1 000,– |
| 49 | Ehrenkreuz 3. Klasse | 450,– |
| 50 | Ehrenkreuz 3. Klasse mit Schwertern | 800,– |

45, 48 51–53 54

| | | |
|---|---|---|
| 51 | Goldene Medaille | 500,– |
| 52 | Silberne Medaille | 400,– |
| 53 | Bronzene Medaille | 250,– |
| 54 | Abzeichen der Ordensbeamten | 2 500,– |

Zivile Ehrenzeichen

| | | | |
|---|---|---|---|
| 55 | Goldene Zivilverdienstmedaille 1813 | | 3 500,– |
| 56 | Silberne Zivilverdienstmedaille 1813 | | 1 000,– |
| 57 | Medaille zur Erinnerung an Großherzog Friedrich August | | 300,– |
| 58 | Rettungsmedaille (2 Prägungen) | | 575,– |
| 59 | Rettungsmedaille mit Wiederholungsspange | | * |
| 60 | Goldene Medaille für Verdienst um die Kunst, Kopf Nicolaus Friedrich Peter | G | 3 000,– |
| | | Sv | 1 000,– |

| | | |
|---|---|---|
| 61 | Silberne Medaille, wie vor | 700,– |
| 62 | Goldene Medaille 1. Klasse, wie vor Kopf Friedrich August | 800,– |
| 63 | Goldene Medaille, wie vor, 2. Klasse | 600,– |
| 64 | Medaille für Verdienst in der Feuerwehr | 200,– |
| 65 | Rote Kreuz-Medaille | 550,– |
| 66 | Medaille für Treue in der Arbeit | 230,– |

Militärische Ehrenzeichen

| | | |
|---|---|---|
| 67 | Kriegsdenkmünze 1815 | 750,– |
| 68 | Erinnerungsmedaille 1848 – 1849 | 480,– |
| 69 | Erinnerungsmedaille Feldzug 1866 | 165,– |

58  65  67

68  69

72

73

| | | | |
|---|---|---|---|
| 70 | Silberne Erinnerungsmedaille 1870 – 1871 | | 650,– |
| 71 | Bronzene Erinnerungsmedaille 1870 – 1871 | | 350,– |
| 72 | Verdienstkreuz für Aufopferung und Pflichttreue 1870 – 1871 | | 400,– |
| 73 | Friedrich August-Kreuz 1. Klasse, 1914 – 1918 | | 75,– |
| 74 | Friedrich August-Kreuz 2. Klasse | | |
| | am Band f. Kämpfer | | 45,– |
| | am Band f. Nichtkämpfer | | 50,– |
| 75 | Friedrich August-Kreuz 2. Klasse mit Spange „Vor dem Feinde" | | 70,– |
| 75/1 | Kriegsverdienstmedaille 1914 – 1918 | Eisen | 150,– |
| 76 | Offiziersdienstauszeichnungskreuz für 25 Jahre | vg | 300,– |
| | Militär-Dienstauszeichnung | | |
| 77 | Kreuz für 25 Jahre | S | 300,– |
| 78 | 1. Klasse für 18 Jahre (Schnalle) | | 250,– |
| 79 | 2. Klasse für 12 Jahre | | 175,– |
| 80 | 3. Klasse für 9 Jahre | | 150,– |

76

78–79

80

| | Gendarmerie-Dienstauszeichnung | |
|---|---|---|
| 81 | Kreuz für 18 Jahre | 120,– |
| 82 | Medaille für 12 Jahre | 100,– |
| 83 | Medaille für 9 Jahre | 80,– |
| 84 | Kriegervereinsverdienstkreuz | 200,– |
| 85 | Kriegervereinsverdienstkreuz für Fahnen | 400,– |

# Preußen

## Hoher Orden vom Schwarzen Adler

| | | |
|---|---|---|
| 1 | Kollane | * |
| 2 | Ordenskreuz | 8 000,– |
| 3 | Kleindekoration | * |
| 4 | Bruststern | 4 000,– |
| 4/1 | Bruststern mit dem Band des Hosenbandordens | * |

2

4

4

## Verdienstorden der Preußischen Krone

| | | |
|---|---|---|
| 5 | Ordenskreuz | * |
| 6 | Ordenskreuz mit Schwertern | * |
| 9 | Bruststern | * |
| 10 | Bruststern mit Schwertern | * |
| 10/1 | Kleindekoration | 7 500,– |

## Wilhelm-Orden

| | | |
|---|---|---|
| 11 | Kette | * |

## Ordre de la Générosité

| | | |
|---|---|---|
| 12 | Ordenskreuz | * |

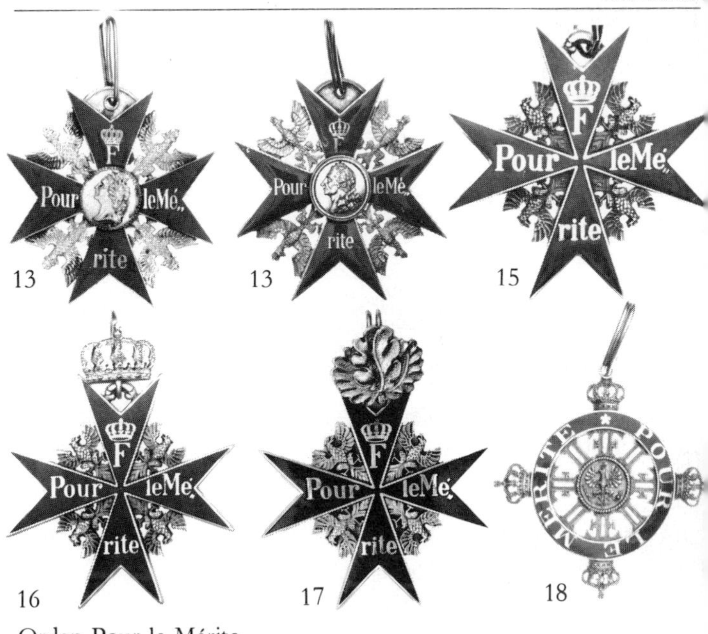


## Orden Pour le Mérite

| | | | |
|---|---|---|---|
| 13 | Großkreuz | | * |
| 14 | Bruststern zum Großkreuz | | * |
| 15 | Ordenskreuz | G | 3 800,– |
| | | Sv | 2 800,– |
| 16 | Ordenskreuz mit Krone | G | 4 800,– |
| 17 | Ordenskreuz mit Eichenlaub | G | 4 800,– |
| 17/1 | Ordenskeuz mit Krone und Eichenlaub | | * |

## Orden Pour le Mérite für Kunst und Wissenschaft

| | | | |
|---|---|---|---|
| 18 | Ordenskreuz | G | 6 000,– |
| | | Sv | 2 500,– |

Roter Adler-Orden

| | | | |
|---|---|---|---|
| | 1. Modell 1792 – 1810 | | |
| 19 | Großkreuz | | * |
| 20 | Bruststern zum Großkreuz | | * |
| | 2. Modell 1810 – ca. 1846<br>Neue Form, lila Adler im Medaillon,<br>mit bzw. ohne Brustschild | | |
| 21 | 1. Klasse | | 7 000,– |
| 22 | 1. Klasse mit Eichenlaub | | 7 500,– |
| 23 | Bruststern zur 1. Klasse | | 3 500,– |
| 24 | Bruststern zur 1. Klasse mit Eichenlaub | | 4 000,– |
| 25 | 2. Klasse | | 5 000,– |
| 26 | 2. Klasse mit Eichenlaub | | 5 500,– |
| 27 | Bruststern zur 2. Klasse | | 2 500,– |
| 28 | Bruststern zur 2. Klasse mit Eichenlaub | | 3 000,– |
| 29 | 3. Klasse | | 2 600,– |
| 30 | 3. Klasse mit der Schleife | | 2 700,– |
| 31 | 4. Klasse (silbernes Medaillon) | | 650,– |
| | 3. Modell ca. 1846 – 1918<br>Ziegelroter Adler im Medaillon<br>Zusätzlich zu den angegebenen Varianten<br>sind Kombinationen mit folgenden<br>Zusatzauszeichnungen möglich:<br>Jubiläumszahl 50<br>Jubiläumszahl 60<br>Jubiläumszahl 65<br>Jubiläumszahl 70<br>Johanniterkreuz<br>Emailleband des Kronenordens<br>Brillanten | | |
| 32 | Kollane | Sv | * |

| | | |
|---|---|---|
| 33 | Großkreuz mit Krone | 12 000,– |
| 34 | Großkreuz mit Krone und Eichenlaub | 12 500,– |
| 35 | Großkreuz mit Krone und Eichenlaub und Schwertern | 15 500,– |
| 36 | Großkreuz mit Krone und Eichenlaub und Schwertern am Ring | * |
| 37 | Großkreuz mit Krone und Eichenlaub und Schwertern und Schwertern am Ring | * |
| 38 | Großkreuz mit Krone und Schwertern | 15 000,– |
| 39 | Großkreuz mit Krone und Schwertern und Schwertern am Ring | * |
| 40 | Großkreuz mit Krone und Schwertern am Ring | 16 500,– |
| 41 | Großkreuz mit Eichenlaub | 9 500,– |
| 42 | Großkreuz mit Eichenlaub und Schwertern | 10 500,– |
| 43 | Großkreuz mit Eichenlaub und Schwertern und Schwertern am Ring | 15 500,– |
| 44 | Großkreuz mit Eichenlaub und Schwertern am Ring | 12 500,– |
| 45 | Großkreuz mit Schwertern | 10 000,– |

45

48

| | | |
|---|---|---|
| 46 | Großkreuz mit Schwertern und Schwertern am Ring | * |

47 Großkreuz mit Schwertern am Ring 12 000,–
47a Großkreuz mit Schwert und Zepter *
48 Großkreuz 8 500,–
49 Kleindekoration des Großkreuzes *
50 Bruststern zum Großkreuz mit Eichenlaub 3 200,–
51 Bruststern zum Großkreuz mit Eichenlaub und Schwertern 4 000,–
52 Bruststern zum Großkreuz mit Eichenlaub und Schwertern und Schwertern am Ring *
53 Bruststern zum Großkreuz mit Eichenlaub und Schwertern am Ring 4 500,–
54 Bruststern zum Großkreuz mit Schwertern 3 500,–

54

55 Bruststern zum Großkreuz mit Schwertern und Schwertern am Ring *
56 Bruststern zum Großkreuz mit Schwertern am Ring 3 800,–
57 Bruststern zum Großkreuz 2 500,–
58 1. Klasse mit Krone und Szepter *
59 1. Klasse mit Krone 4 000,–
60 1. Klasse mit Krone und Eichenlaub 4 500,–
61 1. Klasse mit Krone und Eichenlaub und Schwertern 5 000,–

| | | |
|---|---|---|
| 62 | 1. Klasse mit Krone und Eichenlaub und Schwertern und Schwertern am Ring | * |
| 63 | 1. Klasse mit Krone und Eichenlaub und Schwertern am Ring | 4 500,– |
| 64 | 1. Klasse mit Krone und Schwertern | 4 500,– |
| 65 | 1. Klasse mit Krone und Schwertern und Schwertern am Ring | * |
| 66 | 1. Klasse mit Krone und Schwertern am Ring | 5 000,– |
| 67 | 1. Klasse mit Eichenlaub | 3 000,– |

67, 95

67, 95

68, 96

71, 99

75

76

| | | |
|---|---|---|
| 68 | 1. Klasse mit Eichenlaub und Schwertern | 3 500,– |
| 69 | 1. Klasse mit Eichenlaub und Schwertern und Schwertern am Ring | 4 200,– |
| 70 | 1. Klasse mit Eichenlaub und Schwertern am Ring | 3 800,– |
| 71 | 1. Klasse mit Schwertern | 3 000,– |
| 72 | 1. Klasse mit Schwertern und Schwertern am Ring | 3 700,– |
| 73 | 1. Klasse mit Schwertern am Ring | 3 300,– |
| 74 | 1. Klasse | 2 500,– |
| 75 | 1. Klasse für Nichtchristen | * |
| 76 | Kleindekoration der 1. Klasse | * |
| 77 | Bruststern zur 1. Klasse mit Krone und Szepter | * |
| 78 | Bruststern zur 1. Klasse mit Eichenlaub | 2 000,– |
| 79 | Bruststern zur 1. Klasse mit Eichenlaub und Schwertern | 3 000,– |

64, 92

79

| | | |
|---|---|---|
| 80 | Bruststern zur 1. Klasse mit Eichenlaub und Schwertern und Schwertern am Ring | * |
| 81 | Bruststern zur 1. Klasse mit Eichenlaub und Schwertern am Ring | 3 200,– |
| 82 | Bruststern zur 1. Klasse mit Schwertern | 2 200,– |
| 83 | Bruststern zur 1. Klasse mit Schwertern und Schwertern am Ring | 2 900,– |

85

106

| | | |
|---|---|---|
| 84 | Bruststern zur 1. Klasse mit Schwertern am Ring | 2 700,– |
| 85 | Bruststern zur 1. Klasse | 1 750,– |
| 86 | 2. Klasse mit Krone und Szepter | * |
| 87 | 2. Klasse mit Krone | 2 400,– |
| 88 | 2. Klasse mit Krone und Eichenlaub | 2 600,– |
| 89 | 2. Klasse mit Krone und Eichenlaub und Schwertern | 3 500,– |
| 90 | 2. Klasse mit Krone und Eichenlaub und Schwertern und Schwertern am Ring | 4 800,– |
| 91 | 2. Klasse mit Krone und Eichenlaub und Schwertern am Ring | 3 800,– |
| 92 | 2. Klasse mit Krone und Schwertern | 3 000,– |
| 93 | 2. Klasse mit Krone und Schwertern und Schwertern am Ring | 3 800,– |
| 94 | 2. Klasse mit Krone und Schwertern am Ring | 3 200,– |
| 95 | 2. Klasse mit Eichenlaub | 1 400,– |
| 96 | 2. Klasse mit Eichenlaub und Schwertern | 2 400,– |
| 97 | 2. Klasse mit Eichenlaub und Schwertern und Schwertern am Ring | 3 300,– |
| 98 | 2. Klasse mit Eichenlaub und Schwertern am Ring | 2 800,– |
| 99 | 2. Klasse mit Schwertern | 1 800,– |

| | | |
|---|---|---|
| 100 | 2. Klasse mit Schwertern und Schwertern am Ring | 3 000,– |
| 101 | 2. Klasse mit Schwertern am Ring | 2 500,– |
| 102 | 2. Klasse | 1 100,– |
| 103 | 2. Klasse für Nichtchristen | * |
| 104 | Bruststern zur 2. Klasse mit Krone und Szepter | * |
| 105 | Bruststern zur 2. Klasse mit Eichenlaub | 1 800,– |
| 106 | Bruststern zur 2. Klasse mit Eichenlaub und Schwertern | 2 400,– |
| 107 | Bruststern zur 2. Klasse mit Eichenlaub und Schwertern und Schwertern am Ring | 3 200,– |
| 108 | Bruststern zur 2. Klasse mit Eichenlaub und Schwertern am Ring | 3 000,– |
| 109 | Bruststern zur 2. Klasse mit Schwertern | 1 800,– |
| 110 | Bruststern zur 2. Klasse mit Schwertern und Schwertern am Ring | 2 400,– |
| 111 | Bruststern zur 2. Klasse mit Schwertern am Ring | 2 200,– |
| 112 | Bruststern zur 2. Klasse | 1 250,– |
| 113 | 3. Klasse mit Krone und Szepter | * |
| 114 | 3. Klasse mit Krone | 1 500,– |
| 115 | 3. Klasse mit Krone und Schleife | 1 600,– |
| 116 | 3. Klasse mit Krone und Schleife und Schwertern | 2 000,– |
| 117 | 3. Klasse mit Krone und Schleife und Schwertern und Schwertern am Ring | * |
| 118 | 3. Klasse mit Krone und Schleife und Schwertern am Ring | * |
| 119 | 3. Klasse mit Krone und Schwertern | 1 800,– |
| 120 | 3. Klasse mit Krone und Schwertern und Schwertern am Ring | * |
| 121 | 3. Klasse mit Krone und Schwertern am Ring | 2 500,– |
| 122 | 3. Klasse mit Schleife | 600,– |

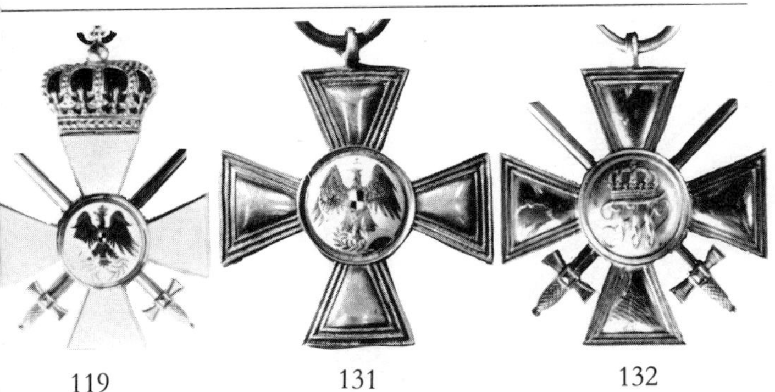

119 131 132

| | | | |
|---|---|---|---|
| 123 | 3. Klasse mit Schleife und Schwertern | | 850,– |
| 124 | 3. Klasse mit Schleife und Schwertern und Schwertern am Ring | | 1 500,– |
| 125 | 3. Klasse mit Schleife und Schwertern am Ring | | 1 000,– |
| 126 | 3. Klasse mit Schwertern | | 800,– |
| 127 | 3. Klasse mit Schwertern und Schwertern am Ring | | 1 200,– |
| 128 | 3. Klasse mit Schwertern am Ring | | 950,– |
| 129 | 3. Klasse | | 580,– |
| 130 | 3. Klasse für Nichtchristen | | * |
| 131 | 4. Klasse 2. Modell (emailliertes Medaillon, glatte Arme) | | 280,– |
| 132 | 4. Klasse 2. Modell mit Schwertern | | 300,– |
| 133 | 4. Klasse 3. Modell mit Krone (gekörnte Arme) | | 425,– |
| 134 | 4. Klasse 3. Modell mit Krone und Schwertern | | 600,– |
| 135 | 4. Klasse 3. Modell mit Schwertern | | 325,– |
| 136 | 4. Klasse 3. Modell | | 115,– |
| 137 | 4. Klasse für Nichtchristen | | * |
| 138 | Medaille 1. Modell | G | 250,– |
| | | S | 210,– |

132

133

133

134

137

| | | | |
|---|---|---|---|
| 139 | Medaille 2. Modell | G | 145,– |
| | | S | 120,– |

Kronenorden

1. Modell 1861 – ca. 1870
Kleine runde Krone im Medaillon
Zu den angegebenen Varianten
sind Kombinationen mit folgenden
Zusatzauszeichnungen möglich:
Jubiläumszahl 50
Jubiläumszahl 60
Jubiläumszahl 70
Johanniterkreuz
Emailleband des RAO
Brillanten

| | | |
|---|---|---|
| 141 | 1. Klasse | 4 000,– |
| 142 | 1. Klasse mit Schwertern | 4 800,– |
| 143 | 1. Klasse mit Schwertern und Schwertern am Ring | * |
| 144 | 1. Klasse mit Schwertern am Ring | * |
| 145 | Kleindekoration der 1. Klasse | * |
| 146 | Bruststern zur 1. Klasse | 3 300,– |
| 147 | Bruststern zur 1. Klasse mit Schwertern | 4 000,– |
| 148 | Bruststern zur 1. Klasse mit Schwertern und Schwertern am Ring | * |
| 149 | Bruststern zur 1. Klasse mit Schwertern am Ring | * |
| 150 | 2. Klasse | 2 500,– |
| 151 | 2. Klasse mit Schwertern | 2 800,– |
| 152 | 2. Klasse mit Schwertern und Schwertern am Ring | 3 500,– |
| 153 | 2. Klasse mit Schwertern am Ring | * |
| 154 | Bruststern zur 2. Klasse | 2 500,– |
| 155 | Bruststern zur 2. Klasse mit Schwertern | 2 800,– |

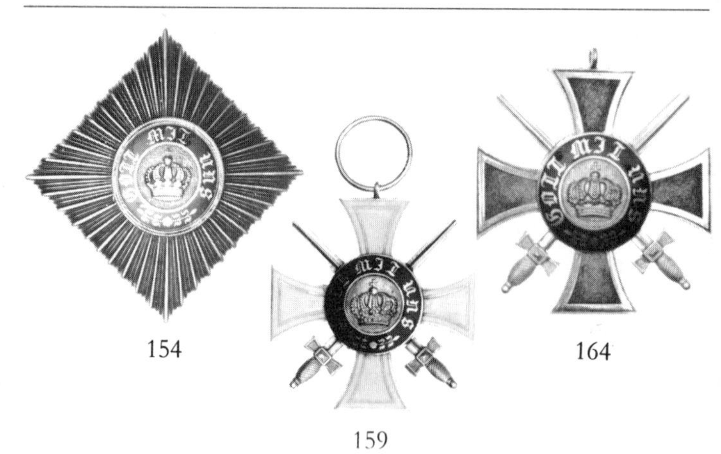

154

159

164

| | | |
|---|---|---|
| 156 | Bruststern zur 2. Klasse mit Schwertern und Schwertern am Ring | * |
| 157 | Bruststern zur 2. Klasse mit Schwertern am Ring | * |
| 158 | 3. Klasse | 600,- |
| 159 | 3. Klasse mit Schwertern | 1 100,– |
| 160 | 3. Klasse mit Schwertern und Schwertern am Ring | * |
| 161 | 3. Klasse mit Schwertern am Ring | * |
| 162 | 3. Klasse mit Rotem Kreuz | * |
| 163 | 4. Klasse | 240,– |
| 164 | 4. Klasse mit Schwertern | 400,– |
| 165 | 4. Klasse mit Rotem Kreuz | * |
| | 2. Modell ca. 1870 – 1918 | |
| | Große Krone im Medaillon | |
| 166 | 1. Klasse | 2 500,– |

| | | | |
|---|---|---|---|
| 167 | 1. Klasse mit Schwertern | G | 3 000,– |
| | | Sv | 1 600,– |
| 168 | 1. Klasse mit Schwertern und Schwertern am Ring | | * |
| 169 | 1. Klasse mit Schwertern am Ring | | 6 000,– |
| 170 | Kleindekoration der 1. Klasse | | * |

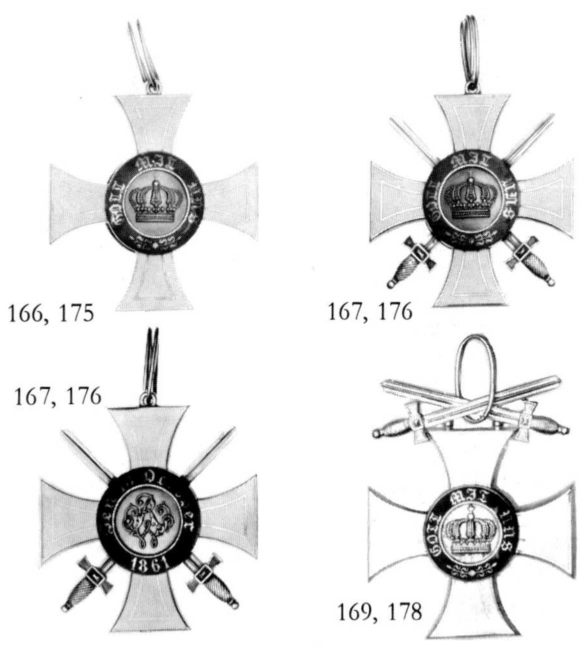

166, 175

167, 176

167, 176

169, 178

| | | |
|---|---|---|
| 171 | Bruststern zur 1. Klasse | 1 500,– |
| 172 | Bruststern zur 1. Klasse mit Schwertern | 3 000,– |
| 173 | Bruststern zur 1. Klasse mit Schwertern und Schwertern am Ring | * |

172 179

180 182

| Nr. | Bezeichnung | | Preis |
|---|---|---|---|
| 174 | Bruststern zur 1. Klasse mit Schwertern am Ring | | 5 000,– |
| 175 | 2. Klasse | | 650,– |
| 176 | 2. Klasse mit Schwertern | G | 1 200,– |
| | | Sv | 800,– |
| 177 | 2. Klasse mit Schwertern und Schwertern am Ring | | * |
| 178 | 2. Klasse mit Schwertern am Ring | | * |
| 179 | Bruststern zur 2. Klasse | | 1 200,– |
| 180 | Bruststern zur 2. Klasse mit Schwertern | | 1 400,– |
| 181 | Bruststern zur 2. Klasse mit Schwertern und Schwertern am Ring | | * |
| 182 | Bruststern zur 2. Klasse mit Schwertern am Ring | | * |

| | | |
|---|---|---|
| 183 | 3. Klasse | 270,– |
| 184 | 3. Klasse mit Schwertern | 580,– |
| 185 | 3. Klasse mit Schwertern und Schwertern am Ring | * |
| 186 | 3. Klasse mit Schwertern am Ring | 1 200,– |
| 187 | 3. Klasse mit Rotem Kreuz | 600,– |
| 188 | 4. Klasse | 100,– |
| 189 | 4. Klasse mit Schwertern | 320,– |
| 190 | 4. Klasse mit Rotem Kreuz | 300,– |
| 191 | Medaille | 115,– |

186 186 190

## Hausorden von Hohenzollern

Zu den angegebenen Varianten
sind Kombinationen mit folgenden
Zusatzauszeichnungen möglich:
Jubiläumszahl 50
Jubiläumszahl 60
Jubiläumszahl 70
Johanniterkreuz
Brillanten

| | | |
|---|---|---|
| 192 | Kollane | * |
| 193 | Kreuz der Großkomture und Komture | 3 000,– |
| 194 | Kreuz der Großkomture mit Schwertern | 3 500,– |
| 195 | Kreuz der Großkomture mit Schwertern und Schwertern am Ring | * |
| 196 | Kreuz der Großkomture mit Schwertern am Ring | * |
| 197 | Kleindekoration der Großkomture | * |
| 198 | Adler der Großkomture und Komture | * |

198

199

200

| | | |
|---|---|---|
| 199 | Bruststern der Großkomture | 4 500,– |
| 200 | Bruststern der Großkomture mit Schwertern | 7 000,– |
| 201 | Bruststern der Großkomture mit Schwertern und Schwertern am Ring | * |

| | | | |
|---|---|---|---|
| 202 | Bruststern der Großkomture mit Schwertern am Ring | | * |
| 203 | Bruststern der Komture | | 2 500,– |
| 204 | Bruststern der Komture mit Schwertern | | 3 000,– |
| 205 | Bruststern der Komture mit Schwertern und Schwertern am Ring | | * |
| 206 | Bruststern der Komture mit Schwertern am Ring | | * |

203 214 215

| | | | |
|---|---|---|---|
| 207 | Kreuz der Ritter | G | 1 000,– |
| 208 | Kreuz der Ritter mit Schwertern | G | 1 200,– |
| | | Sv | 460,– |
| 209 | Kreuz der Ritter mit Schwertern und Schwertern am Ring | | * |
| 210 | Kreuz der Ritter mit Schwertern am Ring | | * |
| 211 | Adler der Ritter | | 1 200,– |
| 212 | Kreuz der Inhaber | | 450,– |
| 213 | Kreuz der Inhaber mit Schwertern | | 600,– |
| 214 | Adler der Inhaber | | 360,– |
| 215 | Adler der Inhaber, Sonderform ohne Emaille | | 1 000,– |

Johanniter-Orden

| | | | |
|---|---|---|---|
| 216 | Protektordekoration | | * |
| 217 | Kreuz des Herrenmeisters | | * |
| 218 | Stern des Herrenmeisters | | * |
| 219 | Kommendatorenkreuz | | * |
| 220 | Kreuz der Rechtsritter | | 1 000,– |
| 221 | Kreuz der Ehrenritter | | 950,– |
| 222 | Brustkreuz („Leinenkreuz”) | Stoff | 30,– |
| | | S | 90,– |

223, 225 227, 228 229

Luisen-Orden

| | | |
|---|---|---|
| | 1. Abteilung (goldenes Kreuz, schwarz emailliert) | |
| 223 | Ordenskreuz mit Jahreszahlen „1813 – 1814” | 3 800,– |
| 224 | Ordenskreuz mit dem Roten Kreuz | * |
| 225 | Ordenskreuz mit Jahreszahl „1848/1849” | 4 500,– |
| | 2. Abteilung (silbernes Kreuz, schwarz emailliert) | |
| 226 | Ordenskreuz 1. Klasse "1864" | * |
| 226/1 | Ordenskreuz 1. Klasse "1865" | * |
| 226/2 | Ordenskreuz 1. Klasse "1866" | * |
| 226/3 | Großkreuz von 1914 | * |
| 226/4 | Bruststern zum Großkreuz von 1914 | * |

226/5 Ordenskreuz 1. Klasse "1914" *
227 Ordenskreuz 1. Klasse m. d. goldenen Krone *
228 Ordenskreuz 1. Klasse m. d. silbernen Krone *
229 Ordenskreuz 2. Klasse (Silber, Medaillon emailliert) 400,–

Schwanenorden

231 Ordenskette *

234

## Orden vom Weißen Hirschen Sancti Huberti

| | | |
|---|---|---|
| 232 | Ordenszeichen des Großgebietigers | * |
| 233 | Ordenszeichen des Gebietigers | * |
| 234 | Ordenszeichen der Ritter, 2. Klasse | * |

## Allgemeine Ehrenzeichen

| | | |
|---|---|---|
| 235 | Goldene Medaille 1. Prägung 1810 – 1817 | 2 000,– |
| 236 | Silberne Medaille 1. Prägung 1810 – 1814 | 300,– |
| 237 | Silbernes Kreuz (1. Klasse, 1814 – 1830) | 500,– |
| 238 | Silberne Medaille (2. Klasse, 2. und folgende Prägungen 1814 – 1918, diese Medaille wurde auch verliehen am Band der Rettungsmedaille und am Erinnerungsband) | 40,– |

235, 236

235, 236, 238

238, 239

239

| | | | |
|---|---|---|---|
| 239 | Silberne Medaille, wie vor<br>mit Abzeichen für 50 Dienstjahre<br>(auch für 60, 65 und 70 Dienstjahre) | | 220,– |
| 240 | Silberne Medaille, wie vor<br>mit dem Roten Kreuz | | 350,– |
| 241 | Allgemeines Ehrenzeichen in Gold<br>(auch am Band der Rettungsmedaille) | | 1 000,– |
| 242 | Allgemeines Ehrenzeichen in Gold<br>mit Abzeichen für 50 Dienstjahre<br>(auch für 60, 65 und 70 Dienstjahre) | | 1 500,– |
| 243 | Kreuz des Allgemeinen Ehrenzeichens<br>mit Krone | | 200,– |
| 244 | Kreuz des Allgemeinen Ehrenzeichens<br>(auch am Band der Rettungsmedaille) | | 110,– |
| 245 | Kreuz des Allgemeinen Ehrenzeichens<br>mit dem Abzeichen für 50 Dienstjahre<br>(auch für 60, 65 und 70 Dienstjahre) | | 180,– |
| 246 | Allgemeines Ehrenzeichen in Bronze<br>(auch am Band der Rettungsmedaille) | B | 75,– |
| | Kriegsmetall oder Zink | | 90,– |

Zivile Ehrenzeichen

| | | | |
|---|---|---|---|
| 247 | Silberne Medaille für Untertanen-Treue | | * |
| 248 | Verdienstkreuz in Gold mit der Krone | vg | 500,– |
| 249 | Verdienstkreuz in Gold | vg | 140,– |
| 250 | Verdienstkreuz in Silber mit der Krone | | 250,– |
| 251 | Verdienstkreuz in Silber | | 120,– |
| 252 | Frauen-Verdienstkreuz in Gold | | |
| | mit Königskrone | Sv | 1 600,– |
| | mit Kaiserkrone | Sv | 1 600,– |

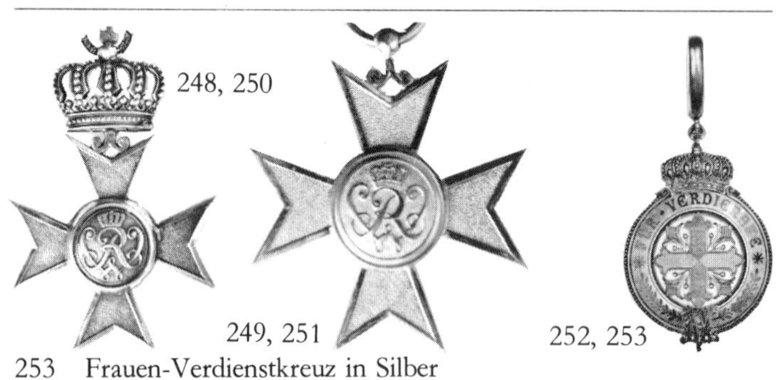

248, 250

249, 251

252, 253

| Nr. | Bezeichnung | Preis |
|---|---|---|
| 253 | Frauen-Verdienstkreuz in Silber | |
| | mit Königskrone | 1 200,– |
| | mit Kaiserkrone | 1 200,– |
| 254 | Ölbergkreuz | 800,– |
| 255 | Krönungsmedaille 1861 (2 versch. Bänder) | 125,– |
| 255/1 | Kreuz für Frauen und Jungfrauen 1870 – 1871 | 550,– |
| 256 | Medaille zur Goldenen Hochzeit 1879, | |
| | 1. Klasse | 300,– |
| 257 | Medaille, wie vor, 2. Klasse | 250,– |

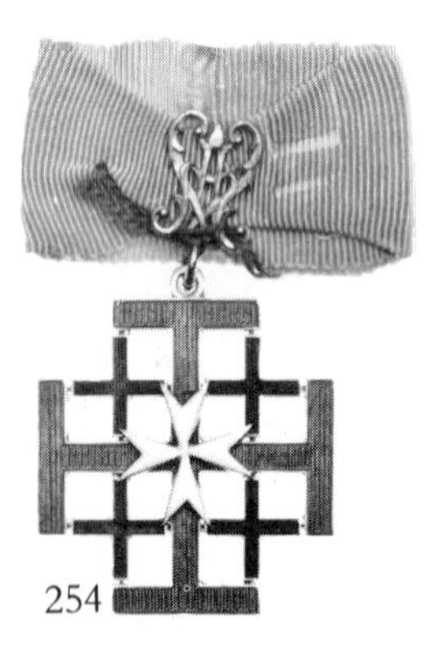

254

260

| | | | |
|---|---|---|---|
| 258 | Medaille, wie vor, 3. Klasse | | 200,– |
| 258/1 | Ehrenzeichen für Hofdamen | | 400,– |
| 259 | Jerusalemkreuz 1898 | | 210,– |
| 260 | Erinnerungszeichen zur Silbernen Hochzeit 1906 | | 250,– |
| 261 | Rettungsmedaille großes Modell (nicht tragbar) | | 250,– |
| 262 | Rettungsmedaille („KOENIG") | | 100,– |
| 263 | Rettungsmedaille („KÖNIG" 3 Prägungen) | | 80,– |
| 264 | Rot Kreuz-Ehrenzeichen 1. Klasse | | 175,– |
| 265 | Rot Kreuz-Ehrenzeichen 2. Klasse | | 60,– |
| 266 | Rot Kreuz-Ehrenzeichen 3. Klasse | B | 40,– |
| | | St | 40,– |
| | | KM | 22,– |
| | auch mit Spangen Südafrika, Ostasien und Südwestafrika, diese je | | 300,– |
| 267 | Ehrenzeichen für Verdienste um das Feuerlöschwesen | B | 60,– |
| | | KM | 60,– |
| 268 | Eisenbahn-Dienstauszeichnung für 40 Jahre | | 40,– |
| 269 | Eisenbahn-Dienstauszeichnung für 25 Jahre | | 30,– |

Militärische Ehrenzeichen

| | | |
|---|---|---|
| | 1813 | |
| 270 | EK mit goldenen Strahlen (Blücherstern) | * |
| 271 | Großkreuz | * |
| 272 | 1. Klasse | 3 500,– |
| 273 | 2. Klasse am Band für Kämpfer | 1 200,– |
| | am Band für Nichtkämpfer | 1 200,– |
| 274 | Kulmer Kreuz | * |

270 271 272

| | 1870 | |
|---|---|---|
| 275 | Großkreuz | * |
| 276 | 1. Klasse | 950,– |
| 277 | 2. Klasse am Band für Kämpfer | 175,– |
| | am Band für Nichtkämpfer | 175,– |
| 278 | Eichenblattspange „25" | 75,– |
| 280 | EK mit goldenen Strahlen (Hindenburgstern) | * |
| 281 | Großkreuz | * |
| 282 | 1. Klasse | 40,– |
| 283 | 2. Klasse am Band für Kämpfer | 15,– |
| | am Band für Nichtkämpfer | 15,– |
| 284 | Wiederholungsspange zum EK 1870 | 450,– |
| | Militärverdienstmedaille | |
| 285 | Goldene Medaille | |
| | 1. Modell 1793 – 1797 mit Jahreszahl 1793 | * |
| 286 | Silberne Medaille | 2 500,– |
| 287 | Goldene Medaille | |
| | 2. Modell 1797 – 1814 ohne Jahreszahl | 2 500,– |
| 288 | Silberne Medaille | 500,– |
| 289 | Militär-Ehrenzeichen 1. Klasse | |
| | Kreuz, 1. Modell 1814 – 1847, 35 mm | 1 200,– |

273

275

277, 278, 284

| | | |
|---|---|---|
| 290 | Militär-Ehrenzeichen 1. Klasse<br>2. Modell, 1848 – 1864, 38 mm | 1 200,– |
| 291 | Militär-Ehrenzeichen 1. Klasse<br>3. Modell, 1864 – 1918,<br>am Band für Kämpfer<br>am Band für Nichtkämpfer | <br><br>750,–<br>750,– |
| 292 | Militär-Ehrenzeichen 2. Klasse<br>(Medaille, mehrere Prägungen)<br>auch am Band für Militär-Unterbeamte | <br><br>50,– |

| | | | |
|---|---|---|---|
| 293 | Militär-Verdienstkreuz in Gold | G | 1 500,– |
| | | Sv | 775,– |
| 294 | Krieger-Verdienstmedaille | | |
| | 1. Modell mit Monogramm „FW III R," | | |
| | 2 Prägevarianten, 2 versch. Bänder | | 100,– |
| 295 | Krieger-Verdienstmedaille | | |
| | 2. Modell mit Monogramm „WR" | | |
| | am Band für Kämpfer | | 90,– |
| | am Band für Nichtkämpfer | | 90,– |
| 296 | Kriegsdenkmünze 1813 | | |
| | (Kreuz mit scharfkantigen Armen) | | 70,– |
| 297 | Kriegsdenkmünze 1814 | | 80,– |

295

293

293

| | | |
|---|---|---|
| 298 | Kriegsdenkmünze 1813 – 1814 | 50,– |
| 299 | Kriegsdenkmünze 1815 | 65,– |
| 300 | Kriegsdenkmünze 1813 (Kreuz mit gebogenen Armen) | 60,– |
| 301 | Kriegsdenkmünze 1814 | 60,– |
| 302 | Kriegsdenkmünze 1813 – 1814 | 65,– |
| 303 | Kriegsdenkmünze für Nichtkämpfer 1813 | 300,– |
| 304 | Kriegsdenkmünze für Nichtkämpfer 1814 | 200,– |
| 305 | Kriegsdenkmünze für Nichtkämpfer 1813 – 1814 | 210,– |
| 306 | Kriegsdenkmünze für Nichtkämpfer 1815 | 165,– |
| 307 | Erinnerungs-Kriegsdenkmünze 1813 – 1815, 1863 für Kämpfer | 75,– |

296–302  301  303–306

| | | |
|---|---|---|
| 308 | wie vor, für Nichtkämpfer | 250,– |
| 309 | wie vor, für Damen des Luisen-Ordens | 450,– |
| 310 | Neufchâteler Erinnerungs-Medaille 1832 | 225,– |
| 311 | Erinnerungsmedaille zum 25-jährigen Jubiläum des Königs Friedrich Wilhelm IV. als Chef des Kaiserlichen Russischen Infanterie-Regiments Kaluga 1843 | 800,– |

| | | |
|---|---|---|
| 312 | Hohenzollernsche Denkmünze 1848 – 1849 für Kämpfer | 35,– |
| 313 | Hohenzollernsche Denkmünze 1848 – 1849 für Nichtkämpfer | 150,– |
| 314 | Düppeler Sturmkreuz 1864 am Band für Kämpfer | 130,– |
| 315 | Düppeler Sturmkreuz 1864 am Band für Nichtkämpfer | 150,– |
| 316 | Düppeler Sturmkreuz 1864 für Reservetruppen | 120,– |
| 317 | Düppeler Sturmkreuz 1864 für Ärzte, Seelsorger etc. | 350,– |
| 318 | Alsenkreuz 1864 am Band für Kämpfer | 100,– |
| 319 | Alsenkreuz 1864 am Band für Nichtkämpfer | 100,– |
| 320 | Alsenkreuz 1864 für Reservetruppen | 120,– |
| 321 | Alsenkreuz 1864 für Ärzte, Seelsorger etc. | 300,– |

307–309

314–317

314–321

322 Kriegsdenkmünze 1864 für Kämpfer 35,–
323 Kriegsdenkmünze 1864 für Nichtkämpfer 200,–
324 Erinnerungskreuz 1866 „Königgrätz" 30,–
325 Erinnerungskreuz 1866 „Main-Armee" 35,–
326 Erinnerungskreuz 1866 „Treuen Kriegern" 50,–
327 Erinnerungskreuz 1866 für Nichtkämpfer 110,–

322–323 324–327 326

Hannoversche Jubiläumsdenkmünzen
mit Datum

329 „19. Dezember 1803/19. Dezember 1903" 425,–
330 „21. April 1804/21. April 1904" 500,–
331 „25. November 1805/25. November 1905" 400,–
332 „10. Dezember 1805/10. Dezember 1905" 400,–
333 „24. März 1813/18. Juni 1913" 400,–
334 „26. März 1813/26. März 1913" 400,–
335 „27. November 1813/27. November 1913" 400,–
336 „30. November 1813/16. August 1913" 400,–
337 „27. November 1813/3. August 1913" 400,–

| | | |
|---|---|---|
| | Kurhessische Jubiläumsdenkmünzen mit Datum | |
| 338 | „1813/22. November/1913" | 350,– |
| 339 | „1813/23. November/1913" | 450,– |
| 340 | „1813/30. November/1913" | 400,– |
| 341 | „1813/5. Dezember/1913" | 350,– |
| 342 | Verdienstkreuz für Kriegshilfe | 25,– |

338–341

| | | | |
|---|---|---|---|
| 343 | Gedenkzeichen mit dem Namenszug „W" für die Kgl. Prinzen und Generaladjutanten | G | 1 900,– |
| 344 | Gedenkzeichen mit dem Namenszug „W" für Generale à la suite | | 750,– |
| 345 | Gedenkzeichen mit dem Namenszug „W" für die Flügeladjutanten | | 600,– |
| 346 | Gedenkzeichen mit dem Namenszug „FR" für den Generaladjutanten | | 900,– |
| 347 | Gedenkzeichen mit dem Namenszug „FR" für die Flügeladjutanten | | 600,– |
| 348 | Gedenkzeichen mit dem Namenszug „W" und „F" für die Generaladjutanten von Wilhelm I. und Friedrich III. | | 1 200,– |
| 349 | Gedenkzeichen mit dem Namenszug „WR" für die Generaladjutanten | | 700,– |

343–345

346–348

349–351

| | | |
|---|---|---|
| 350 | Gedenkzeichen mit dem Namenszug „WR” für die Generale à la suite | 600,– |
| 351 | Gedenkzeichen mit dem Namenszug „WR” für die Flügeladjutanten | 500,– |
| 352 | Offiziersdienstauszeichnungskreuz für 25 Jahre 1. Modell glatte Arme | 85,– |
| 353 | wie vor, 2. Modell gekörnte Arme | 20,– |

353

354–355

| | | |
|---|---|---|
| 354 | Dienstauszeichnung 1. Modell<br>Schnalle 1825 – 1913<br>1. Klasse für 21 Jahre | 80,– |
| 355 | 2. Klasse für 15 Jahre | 35,– |
| 356 | 3. Klasse für 9 Jahre | 25,– |
| 357 | Dienstauszeichnung 2. Modell 1913 – 1918<br>1. Klasse für 15 Jahre (Kreuz) | 25,– |
| 358 | 2. Klasse für 12 Jahre (Medaille) | 18,– |
| 359 | 3. Klasse für 9 Jahre (Medaille) | 15,– |
| 360 | 1. Klasse | 50,– |
| 361 | 2. Klasse 1. Modell, Schnalle | 20,– |
| 362 | 2. Klasse 2. Modell, Medaille | 15,– |

# **Reuss** – Ältere und jüngere Linie gemeinsam

Ehrenkreuz

Band der älteren Linie: dunkelblau, amarantrote Kanten
Band der jüngeren Linie: amarantrot
Kriegsband: goldgelb, rot-schwarze Kanten

| | | |
|---|---|---|
| 1 | 1. Klasse mit Krone | 2 100,– |
| 2 | 1. Klasse mit Krone und Schwertern | 3 000,– |
| 3 | 1. Klasse | 1 600,– |
| 4 | 1. Klasse mit Schwertern | 2 100,– |
| 5 | Offizierssteckkreuz mit Krone | 2 000,– |
| 6 | Offizierssteckkreuz mit Krone und Schwertern | 2 500,– |
| 7 | Offizierssteckkreuz | 1 400,– |
| 8 | Offizierssteckkreuz mit Schwertern | 1 900,– |
| 9 | Offizierssteckkreuz mit Jahreszahl „1914" | * |
| 10 | 2. Klasse mit Krone | 1 100,– |
| 11 | 2. Klasse mit Krone und Schwertern | 1 300,– |

2
3
8
12
13
14
15
20
20

| | | | |
|---|---|---|---|
| 12 | 2. Klasse | | 850,– |
| 13 | 2. Klasse mit Schwertern | | 1 000,– |
| 14 | 3. Klasse mit Krone | | 575,– |
| 15 | 3. Klasse mit Krone und Schwertern | | 700,– |
| 16 | 3. Klasse | | 350,– |
| 17 | 3. Klasse mit Schwertern | | 500,– |
| 18 | 4. Klasse mit Krone | | 750,– |
| 19 | 4. Klasse mit Krone und Schwertern | | 800,– |
| 20 | 4. Klasse | | 650,– |
| 21 | 4. Klasse mit Schwertern | | 650,– |
| 22 | Goldene Verdienstmedaille mit Krone | | 150,– |
| 23 | Goldene Verdienstmedaille mit Krone und Schwertern | | 175,– |
| 24 | Goldene Verdienstmedaille | | 120,– |
| 25 | Goldene Verdienstmedaille mit Schwertern | | 140,– |
| 26 | Silberne Verdienstmedaille | | 100,– |
| 27 | Silberne Verdienstmedaille mit Schwertern | | 140,– |

Zivile Ehrenzeichen

| | | | |
|---|---|---|---|
| 28 | Verdienstkreuz für Kunst und Wissenschaft 1. Klasse | Sv | 800,– |

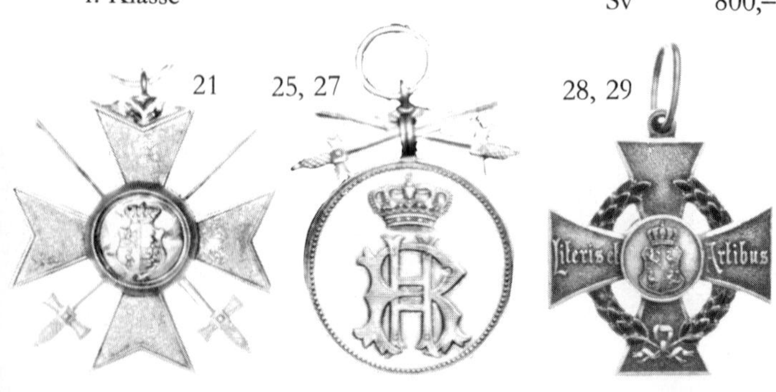

21 25, 27 28, 29

| Nr. | Bezeichnung | | Preis |
|---|---|---|---|
| 29 | wie vor, 2. Klasse | S | 500,– |
| 30 | Goldene Medaille für Kunst und Wissenschaft | Sv | 200,– |
| 31 | Silberne Medaille für Kunst und Wissenschaft | | 150,– |

Militärische Ehrenzeichen

| Nr. | Bezeichnung | | Preis |
|---|---|---|---|
| 32 | Ehrenkreuz für die Feldzüge 1814 – 1815 | | 450,– |
| 33 | Erinnerungskreuz für Eckernförde 1849 | | 1 200,– |
| 34 | Kriegsverdienstkreuz 1914 | | 1 400,– |
| 35 | Medaille für aufopfernde Tätigkeit in der Kriegszeit 1915 – 1918 | | 90,– |

32 34

37 37 39

| | | |
|---|---|---|
| 36 | Offiziersdienstauszeichnungskreuz für 25 Jahre | 350,– |
| 37 | wie vor, mit Schwertern | 420,– |
| 38 | Dienstauszeichnungskreuz für 25 Jahre | 300,– |
| 39 | wie vor, mit Schwertern | 350,– |
| 40 | Dienstauszeichnung 1. Klasse für 15 Jahre | 180,– |
| 41 | Dienstauszeichnung 2. Klasse für 12 Jahre | 150,– |
| 42 | Dienstauszeichnung 3. Klasse für 9 Jahre | 120,– |

# **Reuss** – Ältere Linie

Zivile Ehrenzeichen

| | | |
|---|---|---|
| 43 | Verdienstkreuz 1. Klasse (bis 1893 Zivilehrenkreuz) | 350,– |
| 44 | Verdienstkreuz 2. Klasse | 300,– |
| 45 | Verdienstkreuz 3. Klasse | 275,– |
| 46 | Verdienstkreuz 4. Klasse | 250,– |
| 47 | Silberne Ehrenmedaille für Treue und Verdienst | 175,– |
| 48 | wie vor, mit aufgelöteten Schwertern | 375,– |

48 49 50, 51

| | | | |
|---|---|---|---|
| 49 | wie vor, mit Schwertern am Ring | | 300,– |
| 50 | Goldene Medaille „Merito ac dignitati" | Sv | 200,– |
| 51 | Silberne Medaille „Merito ac dignitati" auch am Band für Lebensrettung | | 150,– |

| | | | |
|---|---|---|---|
| 52 | Feuerwehrehrenzeichen | | 150,– |
| 53 | Ehrenzeichen für Angestellte in Privatdiensten, Arbeiter und Dienstboten | | 125,– |

Militärische Ehrenzeichen

| | | | |
|---|---|---|---|
| 54 | Dienstauszeichnung 1. Klasse für 21 Jahre | | 220,– |
| 55 | Dienstauszeichnung 2. Klasse für 15 Jahre | | 175,– |
| 56 | Dienstauszeichnung 3. Klasse für 9 Jahre | | 150,– |

# **Reuss** – Jüngere Linie

Zivile Ehrenzeichen

| | | | |
|---|---|---|---|
| 57 | Goldenes Verdienstkreuz (früher Civil-Ehrenkreuz bzw. Ehrenkreuz) | G | 750,– |
| | | Sv | 450,– |
| 58 | Silbernes Verdienstkreuz | | 400,– |
| 59 | Silberne Verdienstmedaille mit der Krone | | 350,– |
| 60 | Silberne Verdienstmedaille | | 300,– |
| 61 | Lebensrettungsmedaille | | 550,– |
| 62 | Feuerwehrehrenzeichen | | 150,– |
| 63 | Ehrenzeichen für Arbeiter und Dienstboten | | 125,– |
| 64 | Erinnerungszeichen zur Silbernen Hochzeit für fürstliche Gäste (mit Nadel) | | 600,– |
| 65 | wie vor, für die sonstigen Festteilnehmer (am Band) | | 400,– |

65

Militärische Ehrenzeichen

| | | |
|---|---|---|
| 66 | Dienstauszeichnung 1. Klasse für 21 Jahre | 180,– |
| 67 | Dienstauszeichnung 2. Klasse für 15 Jahre | 150,– |
| 68 | Dienstauszeichnung 3. Klasse für 9 Jahre | 120,– |

# Reuss – Lobenstein-Ebersdorf

Zivile Ehrenzeichen

| | | |
|---|---|---|
| 69 | Silberne Verdienstmedaille | 800,– |
| 70 | Bronzene Verdienstmedaille | 600,– |

# Sachsen-Königreich

Hausorden der Rautenkrone

| | | |
|---|---|---|
| 1 | Kollane | * |
| 2 | Ordenskreuz | 5 000,– |
| 3 | Damendekoration | * |
| 4 | Bruststern | 2 400,– |

Militär St. Heinrichs-Orden

| | | |
|---|---|---|
| | Ausgabe 1736 | |
| 5 | Ordenskreuz mit Edelsteinen für Kommandeure | * |
| 6 | Ordenskreuz für Ritter | * |
| | Ausgabe 1768 | |
| 7 | Kreuz der Großkreuze und Kommandeure | * |

4

7

| | | | |
|---|---|---|---|
| 8 | Bruststern der Großkreuze | | * |
| 9 | Ritterkreuz | | * |
| 10 | Medaillon der Ordensbeamten | | * |
| | Ausgabe 1796 | | |
| 11 | Großkreuz | | * |
| 12 | Bruststern der Großkreuze | | * |
| 13 | Kommandeurkreuz | | * |
| 14 | Ritterkreuz | | |
| | Ausgabe 1806 – 1918 | | * |
| 15 | Kollane | | * |
| 16 | Großkreuz | G | * |
| 17 | Großkreuz mit Lorbeer | | * |
| 18 | Bruststern der Großkreuze | | 4 000,– |
| 19 | Bruststern zum Großkreuz mit Lorbeer | | * |
| 20 | Komturkreuz | G | 5 000,– |
| | | Sv | 1 800,– |
| 21 | Ritterkreuz | G | 1 500,– |
| | | Sv | 600,– |
| 22 | Goldene MVM 2. Modell, 1806 – 1848, König Friedrich August, Stempelschneider „Hoeckner" | | * |

16, 20, 21 18 22–27

| | | | |
|---|---|---|---|
| 23 | Silberne Medaille, wie vor | | 800,– |
| 24 | Goldene MVM 3. Modell, ca. 1848 – 1918, Stempelschneider „F. U." | G | 2 500,– |
| | | vg | 200,– |
| 25 | Silberne MVM | | 130,– |
| 26 | Goldene MVM 4. Modell, 1866, Stempelschneider „Rothe" | G | * |
| 27 | Silberne MVM | | 1 700,– |

Zivilverdienstorden

1. Modell für Inländer, bis 1849 (ohne Krone, gemaltes Medaillon, Rückseite-Inschrift „Für Treue und Verdienst")

| | | |
|---|---|---|
| 28 | Großkreuz | * |
| 29 | Bruststern zum Großkreuz | * |
| 30 | Komturkreuz | * |
| 31 | Bruststern zum Komturkreuz 1. Klasse | * |
| 32 | Ritterkreuz | 800,– |
| 33 | Goldene Medaille (1. Prägung mit Datum 1815) | * |
| 34 | Silberne Medaille | 1 000,– |
| 35 | Goldene Medaille (2. Prägung ohne Datum) | 1 500,– |
| 36 | Silberne Medaille | |

1. Modell für Ausländer, bis 1849 (ohne Krone, gemaltes Medaillon, Rückseite-Inschrift „Für Verdienst") 500,–

| | | |
|---|---|---|
| 37 | Großkreuz | * |
| 38 | Bruststern zum Großkreuz | * |
| 39 | Komturkreuz | * |
| 40 | Bruststern zum Komturkreuz 1. Klasse | * |
| 41 | Ritterkreuz | 1 800,– |

33, 34

33–36

32, 41, 54

2. Modell, 1. Typ
(mit Krone, gemaltes Medaillon)

| | | |
|---|---|---|
| 42 | Großkreuz | 3 000,– |
| 43 | Großkreuz mit Schwertern | 4 000,– |
| 44 | Großkreuz mit Schwertern am Ring | * |
| 45 | Bruststern zum Großkreuz (sechsspitzig) | 4 000,– |
| 46 | Bruststern zum Großkreuz mit Schwertern | 5 000,– |
| 47 | Bruststern zum Großkreuz mit Schwertern am Ring | * |
| 48 | Kommandeurkreuz | 3 000,– |
| 49 | Kommandeurkreuz mit Schwertern | 4 000,– |
| 50 | Kommandeurkreuz mit Schwertern am Ring | * |
| 51 | Bruststern zum Kommandeurkreuz 1. Klasse | 2 000,– |
| 52 | Bruststern zum Kommandeurkreuz 1. Klasse mit Schwertern | 3 000,– |

| | | | |
|---|---|---|---|
| 53 | Bruststern zum Kommandeurkreuz 1. Klasse mit Schwertern am Ring | | * |
| 54 | Ritterkreuz 1. Klasse | | 800,– |
| 55 | Ritterkreuz 1. Klasse mit Schwertern | | 900,– |

55 60, 71 61, 72

| | | | |
|---|---|---|---|
| 56 | Ritterkreuz 1. Klasse mit Schwertern am Ring | | * |
| 57 | Ritterkreuz 2. Klasse | | 350,– |
| 58 | Ritterkreuz 2. Klasse mit Schwertern | | 400,– |
| 59 | Ritterkreuz 2. Klasse mit Schwertern am Ring | | * |
| | 2. Modell, 2. Typ (geprägtes Medaillon) | | |
| 60 | Großkreuz | G | 3 000,– |
| 61 | Großkreuz mit Schwertern | G | 4 000,– |
| 62 | Großkreuz mit Schwertern am Ring | | * |
| 63 | Großkreuz mit dem Roten Kreuz | | * |
| 64 | Bruststern zum Großkreuz (sechsspitzig, bis 1891) | | 4 000,– |
| 65 | Bruststern zum Großkreuz mit Schwertern | | 5 000,– |
| 66 | Bruststern zum Großkreuz mit Schwertern am Ring | | * |
| 67 | Bruststern zum Großkreuz (achtspitzig) | | 4 000,– |
| 68 | Bruststern zum Großkreuz mit Schwertern | | 5 500,– |
| 69 | Bruststern zum Großkreuz mit Schwertern am Ring | | * |

| Nr. | Bezeichnung | | Preis |
|---|---|---|---|
| 70 | Bruststern mit dem Roten Kreuz | | * |
| 71 | Kommandeurkreuz | G | 3 000,– |
| | | Sv | 1 200,– |
| 72 | Kommandeurkreuz mit Schwertern | G | 4 000,– |
| | | Sv | 1 400,– |
| 73 | Kommandeurkreuz mit Schwertern am Ring | G | * |
| | | Sv | * |
| 74 | Bruststern zum Kommandeurkreuz 1. Klasse | | 2 000,– |
| 75 | Bruststern zum Kommandeurkreuz 1. Klasse mit Schwertern | | 3 000,– |
| 76 | Bruststern zum Kommandeurkreuz 1. Klasse mit Schwertern am Ring | | * |
| 77 | Ritterkreuz 1. Klasse | G | 750,– |
| | | Sv | 475,– |
| 78 | Ritterkreuz 1. Klasse mit Schwertern | G | 850,– |
| | | Sv | 500,– |
| 79 | Ritterkreuz 1. Klasse mit Schwertern am Ring | G | * |
| | | Sv | * |
| 80 | Ritterkreuz 2. Klasse | | 250,– |
| 81 | Ritterkreuz 2. Klasse mit Schwertern | | 300,– |
| 82 | Ritterkreuz 2. Klasse mit Schwertern am Ring | | * |

78

81

| | | |
|---|---|---|
| 83 | Silbernes Verdienstkreuz 1. Prägung, mit separat geprägten Medaillons | 130,– |
| 84 | Silbernes Verdienstkreuz mit Schwertern | 150,– |
| 85 | Silbernes Verdienstkreuz 2. Prägung, aus einem Stück | 130,– |
| 86 | Silbernes Verdienstkreuz mit Schwertern | 140,– |

84, 86

84, 86

Albrechts-Orden

1. Modell „Bäckermütze"

| | | |
|---|---|---|
| 87 | Großkreuz | 3 000,– |
| 88 | Großkreuz mit Schwertern | 3 500,– |
| 89 | Großkreuz mit Schwertern am Ring | * |
| 90 | Bruststern zum Großkreuz | 3 000,– |
| 91 | Bruststern zum Großkreuz mit Schwertern | 4 000,– |
| 92 | Bruststern zum Großkreuz mit Schwertern am Ring | * |
| 93 | Kommandeurkreuz | 2 500,– |
| 94 | Kommandeurkreuz mit Schwertern | 3 000,– |
| 95 | Kommandeurkreuz mit Schwertern am Ring | * |
| 96 | Bruststern zum Kommandeurkreuz 1. Klasse | 2 500,– |
| 97 | Bruststern zum Kommandeurkreuz 1. Klasse mit Schwertern | 3 000,– |

| | | |
|---|---|---|
| 98 | Bruststern zum Kommandeurkreuz 1. Klasse mit Schwertern am Ring | * |
| 99 | Ritterkreuz | 1 300,– |
| 100 | Ritterkreuz mit Schwertern | 1 500,– |
| 101 | Ritterkreuz mit Schwertern am Ring | * |
| 102 | Kleinkreuz (Ehrenkreuz) | 1 000,– |
| 103 | Kleinkreuz mit Schwertern | 1 200,– |
| 104 | Kleinkreuz mit Schwertern am Ring | * |
| 105 | Goldene Medaille | 2 000,– |
| 106 | Silberne Medaille | 700,– |

90 99 105, 106

2. Modell im Medaillon geändertes Brustbild

| | | |
|---|---|---|
| 107 | Sonderstufe des Großkreuzes (Schärpe des Rautenkronenordens mit schmalen Randstreifen) | 1 400,– |
| 108 | Sonderstufe des Großkreuzes mit Schwertern | 1 700,– |
| 109 | Sonderstufe des Großkreuzes mit Schwertern am Ring | * |
| 110 | Bruststern zur Sonderstufe des Großkreuzes mit Silberner Krone | 4 000,– |
| 111 | wie vor, mit Silberner Krone und Schwertern | 5 000,– |
| 112 | Bruststern zur Sonderstufe des Großkreuzes | 2 500,– |

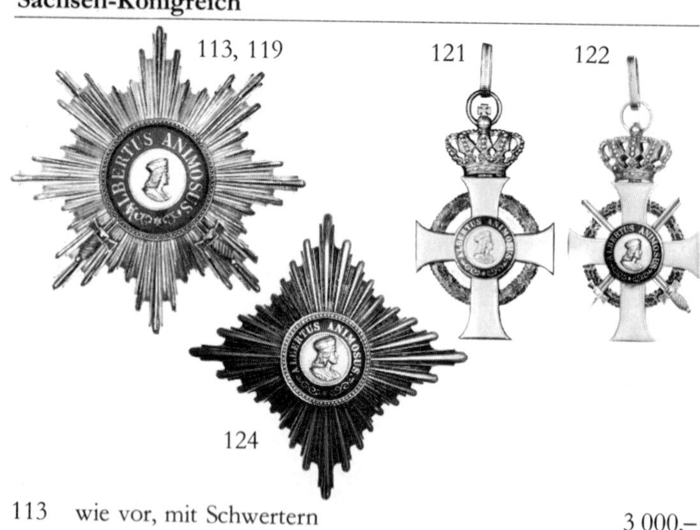


| | | | |
|---|---|---|---|
| 113 | wie vor, mit Schwertern | | 3 000,– |
| 114 | wie vor, mit Schwertern am Ring | | * |
| 115 | Großkreuz | G | 1 500,– |
| | | Sv | 700,– |
| 116 | Großkreuz mit Schwertern | G | 1 750,– |
| | | Sv | 1 000,– |
| 117 | Großkreuz mit Schwertern am Ring | G | * |
| | | Sv | * |
| 118 | Bruststern zum Großkreuz | | 1 500,– |
| 119 | Bruststern zum Großkreuz mit Schwertern | | 1 750,– |
| 120 | Bruststern zum Großkreuz mit Schwertern am Ring | | * |
| 121 | Kommandeurkreuz | G | 750,– |
| | | Sv | 550,– |
| 122 | Kommandeurkreuz mit Schwertern | G | 1 000,– |
| | | Sv | 600,– |

| Nr. | Bezeichnung | | Preis |
|---|---|---|---|
| 123 | Kommandeurkreuz mit Schwertern am Ring | G | * |
| | | Sv | * |
| 124 | Bruststern zum Kommandeurkreuz 1. Klasse | | 900,– |
| 125 | Bruststern zum Kommandeurkreuz mit Schwertern | | 1 000,– |
| 126 | Bruststern zum Kommandeurkreuz | | |
| 127 | Offizierskreuz | G | 680,– |
| | | Sv | 275,– |
| 128 | Offiziersstechkreuz mit Schwertern | | 350,– |
| 129 | Offiziersstechkreuz mit Schwertern am Ring | | * |
| 130 | Ritterkreuz 1. Klasse mit der Krone | G | 450,– |
| | | Sv | 275,– |
| 131 | Ritterkreuz 1. Klasse mit der Krone und Schwertern | G | 500,– |
| | | Sv | 280,– |
| 132 | Ritterkreuz 1. Klasse mit der Krone und Schwertern am Ring | G | * |
| | | Sv | * |
| 133 | Ritterkreuz 1. Klasse | G | 400,– |
| | | Sv | 200,– |
| 134 | Ritterkreuz 1. Klasse mit Schwertern | G | 450,– |
| | | Sv | 200,– |
| 135 | Ritterkreuz 1. Klasse mit Schwertern am Ring | G | * |
| | | Sv | * |
| 136 | Inhaberkreuz | | 800,– |
| 137 | Inhaberkreuz mit Schwertern | | * |
| 138 | Inhaberkreuz mit Schwertern am Ring | | * |
| 139 | Ritterkreuz 2. Klasse | | 140,– |
| 140 | Ritterkreuz 2. Klasse mit Schwertern | | 135,– |
| 141 | Ritterkreuz 2. Klasse mit Schwertern am Ring | | * |

| | | |
|---|---|---|
| 142 | Silbernes Verdienstkreuz (1. Prägung, Medaillons separat geprägt) | 160,– |
| 143 | Silbernes Verdienstkreuz mit Schwertern | 200,– |
| 144 | Silbernes Verdienstkreuz (2. Prägung, Prägung in einem Stück) | 160,– |
| 145 | Silbernes Verdienstkreuz mit Schwertern | 200,– |

Sidonien-Orden

| | | |
|---|---|---|
| 146 | Ordenskreuz | * |

Maria-Anna-Orden

| | | |
|---|---|---|
| 147 | 1. Klasse (mit Krone) | * |
| 148 | 2. Klasse | 1 800,– |
| 149 | 3. Klasse | 600,– |

148 149 150

Allgemeine Ehrenzeichen

| | | |
|---|---|---|
| 150 | Ehrenkreuz mit Krone | 200,– |
| 151 | Ehrenkreuz mit Krone und Schwertern | 280,– |
| 152 | Ehrenkreuz | 60,– |
| 153 | Ehrenkreuz mit Schwertern | 120,– |

Zivile Ehrenzeichen

| | | |
|---|---|---|
| 154 | Goldene Lebensrettungsmedaille, 1. Modell König Anton und Mitregent Friedrich August 1813 – 1836 | * |

| | | |
|---|---|---|
| 155 | Silberne Lebensrettungsmedaille | 800,– |
| 156 | Bronzene Lebensrettungsmedaille | 500,– |
| 157 | Goldene Lebensrettungsmedaille bei der Überschwemmung in Plauen 1834 | * |
| 158 | Silberne Lebensrettungsmedaille, wie vor | 800,– |
| 159 | Goldene Lebensrettungsmedaille, 2. Modell König Friedrich August II. 1836 – 1854 | * |
| 160 | Silberne Lebensrettungsmedaille | 500,– |
| 161 | Bronzene Lebensrettungsmedaille | 350,– |
| 162 | Goldene Lebensrettungsmedaille, 3. Modell König Johann 1854 – 1873 | * |
| 163 | Silberne Lebensrettungsmedaille | 400,– |
| 164 | Bronzene Lebensrettungsmedaille | 300,– |
| 165 | Silberne Lebensrettungsmedaille beim Unglück im Steinbruch Schmilka 1862 | 750,– |
| 166 | Goldene Lebensrettungsmedaille, 4. Modell König Albert 1873 – 1902 | 1 000,– |
| 167 | Silberne Lebensrettungsmedaille | 300,– |
| 168 | Bronzene Lebensrettungsmedaille | 250,– |
| 169 | Goldene Lebensrettungsmedaille, 5. Modell König Georg 1902 – 1904 | 1 200,– |
| 170 | Silberne Lebensrettungsmedaille | 400,– |
| 171 | Bronzene Lebensrettungsmedaille | 300,– |
| 172 | Goldene Lebensrettungsmedaille, 6. Modell König Friedrich August III. 1904 – 1908 | 1 000,– |
| 173 | Silberne Lebensrettungsmedaille | 275,– |
| 174 | Bronzene Lebensrettungsmedaille | 175,– |
| 175 | Große Goldene Medaille „Virtuti et ingenio" für Wissenschaft und Kunst 1. Modell König Albert 1873 –1902 | 3 500,– |
| 176 | Kleine Goldene Medaille, wie vor | 2 500,– |

| | | | |
|---|---|---|---|
| 177 | Große Goldene Medaille „Virtuti et ingenio" für Wissenschaft und Kunst 2. Modell König Georg 1902 – 1904 | | * |
| 178 | Kleine Goldene Medaille, wie vor | | * |
| 179 | Kleine Goldene Medaille „Virtuti et ingenio" für Wissenschaft und Kunst 3. Modell König Friedrich August III. 1904 – 1918 | | 2 500,– |
| 180 | Große Goldene Medaille „Bene merentibus" für Verdienste um Kunst und Wissenschaft 1. Modell König Albert 1873 – 1902 | | * |
| 181 | Kleine Goldene Medaille, wie vor (1. Prägung ohne Schrift auf der Rückseite) | | 2 500,– |
| 182 | wie vor (2. Prägung, auf der Rückseite 2 Zeilen) | | 2 500,– |
| 183 | Große Goldene Medaille, wie vor 2. Modell König Georg 1902 – 1904 | | * |
| 184 | Kleine Goldene Medaille, wie vor | | * |
| 185 | Große Goldene Medaille, wie vor 3. Modell König Friedrich August III. 1904 – 1918 | | * |
| 186 | Kleine Goldene Medaille, wie vor | | 2 000,– |
| 187 | Erinnerungskreuz für Krankenpflege im Frieden | | 200,– |
| 188 | Goldene Kronprinzessin Carola-Medaille 1871 | G | * |
| 189 | Silberne Kronprinzessin Carola-Medaille | | 200,– |
| 190 | Goldene Carola-Medaille (1. Prägung, mit Jahreszahlen 1867 – 1892) | G | 800,– |
| 191 | Silberne Carola-Medaille | | 125,– |
| 192 | Bronzene Carola-Medaille | | 100,– |
| 193 | Goldene Carola-Medaille (2. Prägung, ohne Jahreszahlen) | G | 800,– |
| 194 | Goldene Carola-Medaille mit Bandspange „Weltkrieg 1914/16" | G | 1 200,– |

188, 189 — 193–201 — 193–201

| Nr. | Bezeichnung | | Preis |
|---|---|---|---|
| 195 | Goldene Carola-Medaille mit Eichenblattspange „Weltkrieg 1914/16" | G | 1 200,– |
| 196 | Silberne Carola-Medaille | | 125,– |
| 197 | Silberne Carola-Medaille mit Bandspange | | 150,– |
| 198 | Silberne Carola-Medaille mit Eichenblattspange | | 150,– |
| 199 | Bronzene Carola-Medaille | | 100,– |
| 200 | Bronzene Carola-Medaille mit Bandspange | | 125,– |
| 201 | Bronzene Carola-Medaille mit Eichenblattspange | | 125,– |
| 202 | Erinnerungszeichen zum 25 jährigen Jubiläum von König Friedrich August im Besitz der Fideikommissharrschaft Sibyllenort für Herren (Nadel) | | 600,– |
| 203 | wie vor, an der Damenschleife | | 600,– |

202–203

| | | |
|---|---|---|
| 204 | Ehrenmedaille für 40-jährige Dienstzeit bei der Feuerwehr | 75,– |
| 205 | Feuerwehr-Ehrenzeichen | 100,– |
| 205/1 | Medaille für Treue in der Arbeit 1. Modell König Albert 1894 (nicht tragbar) | 350,– |
| 206 | Medaille für Treue in der Arbeit 1. Modell König Albert 1894 – 1902 | 100,– |
| 207 | wie vor 2. Modell König Georg 1902 – 1904 | 100,– |
| 208 | wie vor 3. Modell König Friedrich August III. 1904 – 1918 | 55,– |

Militärische Ehrenzeichen

| | | |
|---|---|---|
| 209 | Goldene Militär-Verdienstmedaille 1. Modell 1796 – 1806, Churfürst Friedrich August | * |
| 210 | Silberne MVM, wie vor | * |
| | Nachfolgende Modelle siehe Nr. 22–25 | |
| 211 | Silberne Friedrich August-Medaille | |
| | a) am Friedensband | 30,– |
| | b) am Kriegsband | 30,– |
| 212 | wie vor, mit Bandspange „Weltkrieg 1914/16" | 100,– |

211–216 212, 215 211–216

| | | |
|---|---|---|
| 213 | wie vor, mit Eichenblattspange „Weltkrieg 1914/16" | 100,– |
| 214 | Bronzene Friedrich August-Medaille | |
| | a) am Friedensband | 30,– |
| | b) am Kriegsband | 25,– |
| 215 | wie vor, mit Bandspange „Weltkrieg 1914/16" | 100,– |
| 216 | wie vor, mit Eichenblattspange „Weltkrieg 1914/16" | 100,– |
| 217 | Erinnerungskreuz für Kämpfer in Schleswig-Holstein 1849 | 280,– |
| 218 | Kriegserinnerungskreuz 1849 | 300,– |
| 219 | Kriegserinnerungskreuz für Holstein 1863/64 | 280,– |
| 220 | Kriegserinnerungskreuz 1866 | |
| | am Band für Kämpfer | 75,– |
| | am Band für Nichtkämpfer | 100,– |
| 221 | Erinnerungskreuz für Krankenpflege 1870/71 | 110,– |

219–220

221

| | | |
|---|---|---|
| 222 | Kriegsverdienstkreuz 1915 – 1918 | 55,– |
| 223 | Erinnerungskreuz für Krankenpflege mit Jahreszahlen „1914/15" | 130,– |
| 224 | Erinnerungskreuz für Krankenpflege mit Jahreszahlen „1914/16" | 130,– |

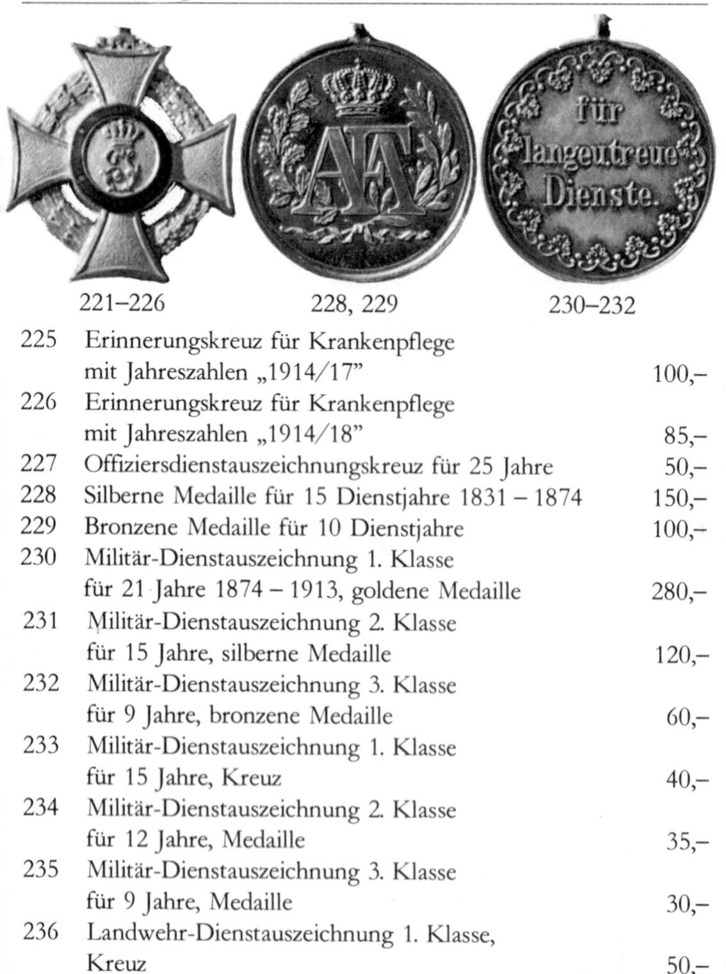


221–226 228, 229 230–232

225 Erinnerungskreuz für Krankenpflege
mit Jahreszahlen „1914/17" 100,–

226 Erinnerungskreuz für Krankenpflege
mit Jahreszahlen „1914/18" 85,–

227 Offiziersdienstauszeichnungskreuz für 25 Jahre 50,–

228 Silberne Medaille für 15 Dienstjahre 1831 – 1874 150,–

229 Bronzene Medaille für 10 Dienstjahre 100,–

230 Militär-Dienstauszeichnung 1. Klasse
für 21 Jahre 1874 – 1913, goldene Medaille 280,–

231 Militär-Dienstauszeichnung 2. Klasse
für 15 Jahre, silberne Medaille 120,–

232 Militär-Dienstauszeichnung 3. Klasse
für 9 Jahre, bronzene Medaille 60,–

233 Militär-Dienstauszeichnung 1. Klasse
für 15 Jahre, Kreuz 40,–

234 Militär-Dienstauszeichnung 2. Klasse
für 12 Jahre, Medaille 35,–

235 Militär-Dienstauszeichnung 3. Klasse
für 9 Jahre, Medaille 30,–

236 Landwehr-Dienstauszeichnung 1. Klasse,
Kreuz 50,–

| | | |
|---|---|---|
| 237 | Landwehr-Dienstauszeichnung 2. Klasse (Schnalle) | 45,– |
| 238 | Landwehr-Dienstauszeichnung 2. Klasse, Medaille | 40,– |

237

# Sachsen-Weimar

Orden vom Weißen Falken

| | | |
|---|---|---|
| | 1. Modell 1732 | |
| 1 | Ordenskreuz | * |
| 2 | Bruststern | * |
| | 2. Modell 1815 | |
| 3 | Kollane | * |
| 4 | Großkreuz | 3 500,– |

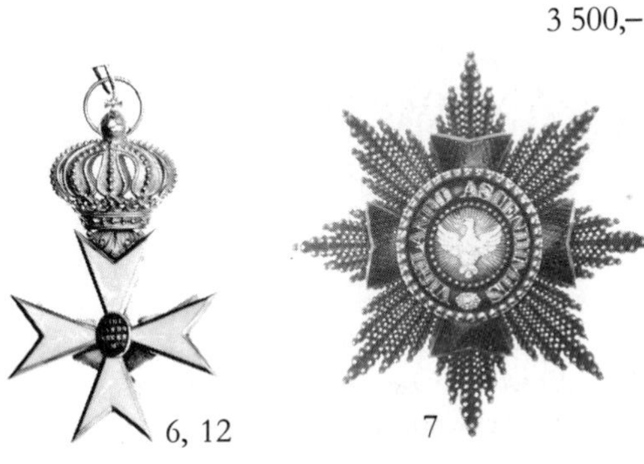
4, 10 6, 12 7

| | | |
|---|---|---|
| 5 | Großkreuz mit Schwertern | 4 500,– |
| 6 | Großkreuz für allgemeine Verdienste | 4 500,– |
| 7 | Bruststern zum Großkreuz | 2 200,– |
| 8 | Bruststern zum Großkreuz mit Schwertern | 2 800,– |
| 9 | Bruststern zum Großkreuz für allgemeine Verdienste | 2 500,– |
| 10 | Kommandeurkreuz | 2 000,– |
| 11 | Kommandeurkreuz mit Schwertern | 2 800,– |
| 12 | Kommandeurkreuz für allgemeine Verdienste | 2 500,– |

8

9

13

14

| | | |
|---|---|---|
| 13 | Bruststern zum Kommandeurkreuz 1. Klasse | 2 200,– |
| 14 | Bruststern zum Kommandeurkreuz mit Schwertern | 3 000,– |

| | | |
|---|---|---|
| 15 | Ritterkreuz 1. Klasse | 850,– |
| 16 | Ritterkreuz 1. Klasse mit Schwertern | 1 100,– |
| 17 | Ritterkreuz 1. Klasse für allgemeine Verdienste | 1 200,– |
| 18 | Ritterkreuz 2. Klasse 1. Modell | 1 000,– |

16, 21

17, 22

18

| | | |
|---|---|---|
| 19 | Ritterkreuz 2. Klasse 1. Modell mit Schwertern | 1 200,– |
| 20 | Ritterkreuz 2. Klasse 2. Modell | 400,– |
| 21 | Ritterkreuz 2. Klasse 2. Modell mit Schwertern | 500,– |
| 22 | Ritterkreuz 2. Klasse 2. Modell<br>für allgemeine Verdienste | 500,– |
| 23 | Verdienstkreuz 1. Modell | 240,– |

23

25, 27

| | | | |
|---|---|---|---|
| 24 | Goldenes Verdienstkreuz 2. Modell | Sv | 300,– |
| 25 | Goldenes Verdienstkreuz 2. Modell mit Schwertern | Sv | 350,– |
| 26 | Silbernes Verdienstkreuz 2. Modell | | 250,– |
| 27 | Silbernes Verdienstkreuz 2. Modell mit Schwertern | | 300,– |

Allgemeine Ehrenzeichen

| | | | |
|---|---|---|---|
| 28 | in Gold „Dem Verdienste" | Sv | 250,– |
| 29 | wie vor, mit Bandschnalle und Schwertern | Sv | 300,– |
| 30 | in Silber | | 150,– |
| 31 | wie vor, mit Bandschnalle und Schwertern | | 200,– |
| 32 | in Bronze | | 125,– |
| 33 | wie vor, mit Bandschnalle und Schwertern | | 150,– |
| 34 | in Gold „Für treue Dienste" | Sv | 300,– |
| 35 | in Silber | | 250,– |
| 36 | in Bronze | | 175,– |
| 37 | in Gold „Für treue Arbeit" | Sv | 300,– |
| 38 | in Silber | | 250,– |
| 39 | in Bronze | | 175,– |
| 40 | in Gold „WE" | | 300,– |
| 41 | in Silber | | 240,– |
| 42 | in Bronze | | 175,– |

Zivile Ehrenzeichen

| | | | |
|---|---|---|---|
| 43 | Goldene Medaille „Meritis nobilis" | | * |
| 44 | Silberne Medaille „Meritis nobilis" | | 450,– |
| 45 | Bronzene Medaille „Meritis nobilis" | | 350,– |
| 46 | Goldene Verdienstmedaille 1. Modell Großherzog Carl Friedrich 1834 – 1857 | | * |
| 47 | Silberne Verdienstmedaille | | 800,– |

37–39

46–48

46–48

| | | |
|---|---|---|
| 48 | Bronzene Verdienstmedaille | 400,– |
| 49 | Goldene Verdienstmedaille<br>2. Modell, jugendlicher Kopf von Großherzog<br>Carl Alexander 1857 – 1892 | * |
| 50 | Silberne Verdienstmedaille | 300,– |
| 51 | Bronzene Verdienstmedaille | 200,– |
| 52 | Goldene Verdienstmedaille<br>3. Modell, älterer Kopf von Großherzog<br>Carl Alexander 1892 – 1902 | 1 300,– |
| 53 | Silberne Verdienstmedaille | 250,– |
| 54 | Bronzene Verdienstmedaille | 175,– |
| 55 | Goldene Anerkennungsmedaille | 275,– |
| 56 | Silberne Anerkennungsmedaille | 200,– |

| | | | |
|---|---|---|---|
| 57 | Bronzene Anerkennungsmedaille | | 150,– |
| 58 | Goldene Jubiläumsmedaille zur Goldenen Hochzeit | G | 900,– |
| | | Sv | 200,– |
| 59 | Silberne Medaille, wie vor | | 120,– |
| 60 | Bronzene Medaille, wie vor | | 150,– |
| 61 | Ehrenzeichen für Frauen 1. Abteilung | | 300,– |
| 62 | Ehrenzeichen für Frauen 2. Abteilung | | 400,– |
| 63 | Ehrenzeichen für Frauen 3. Abteilung | | 500,– |
| 64 | Lebensrettungsmedaille | | 400,– |

63 63 67–69

| | | |
|---|---|---|
| 65 | Goldene Verdienstmedaille für Kunst und Wissenschaft „Protectori bonarum artium" | * |
| 66 | Silberne Medaille, wie vor | 900,– |
| 67 | Goldene Verdienstmedaille „Mitescunt aspera saecla" | * |
| 68 | Silberne Medaille, wie vor | 600,– |
| 69 | Bronzene Medaille, wie vor | 400,– |
| 70 | Goldene Verdienstmedaille „Doctarum frontium praemia" für Gelehrte | * |
| 71 | Silberne Medaille, wie vor | 500,– |
| 72 | Bronzene Medaille, wie vor | 350,– |

70–72 75 70–72

| | | | |
|---|---|---|---|
| 73 | Medaille für Wissenschaft und Kunst (Kopf Carl Alexander) 1. Klasse | | 2 000,– |
| 74 | 2. Klasse, wie vor | | 1 200,– |
| 75 | Medaille „Dem Verdienste in der Kunst" | | 400,– |
| 76 | Medaille für Kunst und Wissenschaft (Kopf Wilhelm Ernst) 1. Klasse | G | 1 500,– |
| 77 | 2. Klasse, wie vor | Sv | 500,– |
| 78 | 3. Klasse, wie vor | S | 400,– |
| 79 | Feuerwehr-Ehrenzeichen | | 125,– |
| 80 | Hebammen-Ehrenzeichen | | 300,– |

Militärische Ehrenzeichen

| | | | |
|---|---|---|---|
| 81 | Medaille für die Kriege 1809 – 1815 | S | * |
| | unedles Metall | | 225,– |
| 82 | Goldene Verdienstmedaille des Großherzogs Carl August für 1815 | | * |

81 82–84 86 85–86 88 89

| | | |
|---|---|---|
| 83 | Silberne Medaille, wie vor | 650,– |
| 84 | Bronzene Medaille, wie vor | 525,– |
| 85 | Silberne Verdienstmedaille 1870 1. Modell mit jugendlichem Bildnis Carl Alexander | 350,– |
| 86 | wie vor, mit Bandschnalle und Schwertern | 425,– |
| 87 | wie vor, 2. Modell mit älterem Bildnis Carl Alexander | 1 000,– |
| 88 | wie vor, mit Bandschnalle und Schwertern | 1 000,– |
| 89 | Ehrenzeichen für rühmliche Tätigkeit 1870 – 1871 | 1 500,– |
| 90 | Wilhelm Ernst-Kriegskreuz | 1 250,– |

| | | | |
|---|---|---|---|
| 91 | Allgemeines Ehrenzeichen 1914 in Gold | Sv | 200,– |
| | | vg | 150,– |
| 92 | wie vor, mit Bandschnalle und Schwertern | Sv | 300,– |
| | | vg | 200,– |
| 93 | Allgemeines Ehrenzeichen 1914 in Silber | S | 200,– |
| | | vs | 175,– |
| 94 | wie vor, mit Bandschnalle und Schwertern | S | 200,– |
| | | vs | 175,– |
| 95 | Allgemeines Ehrenzeichen 1914 in Bronze | B | 135,– |
| | | br | 110,– |
| 96 | wie vor, mit Bandschnalle und Schwertern | B | 185,– |
| | | br | 160,– |

90

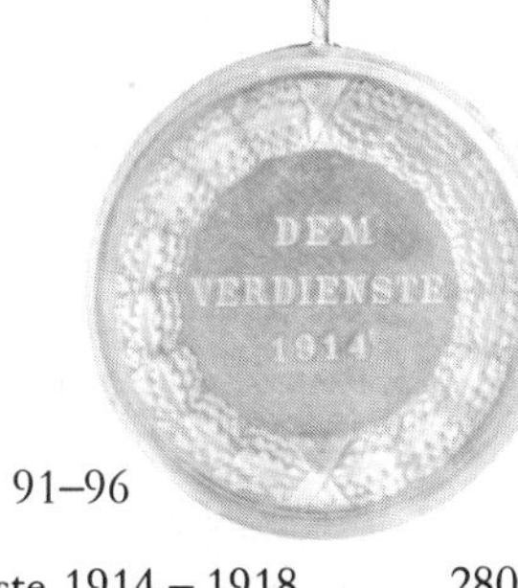

91–96

| | | |
|---|---|---|
| 97 | Ehrenzeichen für Heimatverdienste 1914 – 1918 | 280,– |
| 98 | Ehrenzeichen für Frauenverdienste im Kriege | 200,– |
| 99 | Militär-Dienstauszeichnungskreuz für 20 Dienstjahre 1834 – 1872 | 650,– |
| 100 | wie vor, für 10 Jahre | 550,– |
| 101 | Dienstauszeichnung 1. Klasse für 21 Jahre (Carl Alexander 1872 – 1902) | 225,– |
| 102 | Dienstauszeichnung 2. Klasse für 15 Jahre | 175,– |
| 103 | Dienstauszeichnung 3. Klasse für 9 Jahre | 140,– |

92, 94, 96

97

98

99

| | | |
|---|---|---|
| 104 | Dienstauszeichnung für 21 Jahre<br>(W. E. 1901 – 1913) | 180,– |
| 105 | Dienstauszeichnung 2. Klasse für 15 Jahre | 150,– |
| 106 | Dienstauszeichnung 3. Klasse für 9 Jahre | 120,– |

104–105

107

| | | |
|---|---|---|
| 107 | Dienstauszeichnung 1. Klasse für 15 Jahre (Kreuz) | 110,– |
| 108 | Dienstauszeichnung 2. Klasse für 12 Jahre (Medaille) | 80,– |
| 109 | Dienstauszeichnung 3. Klasse für 9 Jahre (Medaille) | 60,– |
| 110 | Ehrenkreuz für die Krieger- und Militär-Vereine | 400,– |
| 111 | Kriegervereins-Ehrenkreuz | 200,– |

108, 109

108

# Sächsische Herzogtümer bis 1825

Gemeinsame militärische Ehrenzeichen

| | | |
|---|---|---|
| 1 | Goldene Militär-Verdienstmedaille 1814 | 3 000,– |
| 2 | Silberne Militär-Verdienstmedaille | 1 500,– |

1, 2

St. Joachims-Orden

| | | |
|---|---|---|
| 3 | Ordenskreuz mit Helm | * |
| 4 | Ordenskreuz mit Totenkopf | * |
| 5 | Ordenskreuz | * |
| 6 | Bruststern | * |
| 7 | Campagne-Medaille 1814 – 1815 | 600,– |
| 8 | Eiserne Medaille für die Freiwilligen des V. Armee-Corps 1814 für Offiziere | 750,– |
| 9 | wie vor, für Mannschaften | 340,– |

7, 15

8

# Sachsen-Gotha-Altenburg

Ehrenzeichen

| | | |
|---|---|---|
| 10 | Kriegsdenkmünze 1814/15 für Offiziere | 850,– |
| 11 | Kriegsdenkmünze 1814/15 für Unteroffiziere | 450,– |
| 12 | Kriegsdenkmünze 1814/15 für Mannschaften | 350,– |

11

11

# Sachsen-Hildburghausen

Orden vom Glücklichen Bunde

(Ordre de l'Union heureuse)

| | | |
|---|---|---|
| 13 | Ordenszeichen | * |

# Sachsen-Meiningen

Ehrenzeichen

15 Campagne-Medaille 1814 – 1815 600,–

15

# Sachsen-Weißenfels

Ordre de la Noble Passion

16 Ordensdekoration *

# Sächsische Herzogtümer ab 1826

Orden der Deutschen Redlichkeit 1689

Vorläuferorden des Ernestinischen Hausordens

16/1 Ordenszeichen *

Gemeinsamer Ernestinischer Hausorden

1. Modell mit Buchstabe „F”
auf dem oberen Kreuzarm für
Sachsen-Altenburg

17 Großkreuz für Inländer (Eichenkreuz) 6 000,–

| | | |
|---|---|---|
| 18 | Großkreuz für Ausländer (ohne Kranz) | 6 000,– |
| 19 | Großkreuz für Inländer mit Schwertern (Lorbeerkranz) | 6 500,– |
| 20 | Großkreuz für Ausländer mit Schwertern (ohne Kranz) | 6 500,– |
| 21 | Bruststern zum Großkreuz für Inländer | 3 500,– |
| 22 | Bruststern zum Großkreuz für Ausländer | 3 500,– |
| 23 | Bruststern zum Großkreuz für Inländer mit Schwertern | 4 000,– |
| 24 | Bruststern zum Großkreuz für Ausländer mit Schwertern | 4 000,– |
| 25 | Komturkreuz für Inländer | 3 000,– |
| 26 | Komturkreuz für Ausländer | 3 000,– |
| 27 | Komturkreuz für Inländer mit Schwertern | 3 500,– |
| 28 | Komturkreuz für Ausländer mit Schwertern | 3 500,– |
| 29 | Bruststern zum Komturkreuz 1. Klasse für Inländer (ohne Buchstabe) | 6 000,– |
| 30 | Bruststern zum Komturkreuz 1. Klasse für Ausländer | 6 000,– |
| 31 | Bruststern zum Komturkreuz 1. Klasse für Inländer mit Schwertern | 6 000,– |
| 32 | Bruststern zum Komturkreuz 1. Klasse für Ausländer mit Schwertern | 6 000,– |
| 33 | Ritterkreuz für Inländer | 1 350,– |
| 34 | Ritterkreuz für Ausländer | 1 350,– |
| 35 | Ritterkreuz für Inländer mit Schwertern | 1 500,– |
| 36 | Ritterkreuz für Ausländer mit Schwertern | 1 800,– |

| | | |
|---|---|---|
| | 1. Modell mit Buchstabe „E" auf dem oberen Kreuzarm für Sachsen-Gotha | |
| 37 | Großkreuz für Inländer (Eichenkranz) | 5 500,– |

37, 53

| | | |
|---|---|---|
| 38 | Großkreuz für Ausländer (ohne Kranz) | 5 500,– |
| 39 | Großkreuz für Inländer mit Schwertern (Lorbeerkranz) | 6 000,– |
| 40 | Großkreuz für Ausländer mit Schwertern (ohne Kranz) | 6 000,– |
| 41 | Bruststern zum Großkreuz für Inländer | 3 000,– |
| 42 | Bruststern zum Großkreuz für Ausländer | 3 000,– |
| 43 | Bruststern zum Großkreuz für Inländer mit Schwertern | 3 500,– |
| 44 | Bruststern zum Großkreuz für Ausländer mit Schwertern | 3 500,– |
| 45 | Komturkreuz für Inländer | 2 400,– |
| 46 | Komturkreuz für Ausländer | 2 400,– |
| 47 | Komturkreuz für Inländer mit Schwertern | 3 000,– |
| 48 | Komturkreuz für Ausländer mit Schwertern | 3 000,– |
| 49 | Bruststern zum Komturkreuz 1. Klasse für Inländer (identisch mit Nr. 29) | 6 000,– |
| 50 | Bruststern zum Komturkreuz 1. Klasse für Ausländer (identisch mit Nr. 30) | 6 000,– |

| | | |
|---|---|---|
| 51 | Bruststern zum Komturkreuz 1. Klasse für Inländer mit Schwertern (identisch mit Nr. 31) | 6 000,– |
| 52 | Bruststern zum Komturkreuz 1. Klasse für Ausländer mit Schwertern (identisch mit Nr. 32) | 6 000,– |
| 53 | Ritterkreuz für Inländer | 1 000,– |
| 54 | Ritterkreuz für Ausländer | 1 000,– |
| 55 | Ritterkreuz für Inländer mit Schwertern | 1 200,– |
| 56 | Ritterkreuz für Ausländer mit Schwertern 1. Modell mit Buchstabe „B" auf dem oberen Kreuzarm für Sachsen-Meiningen | 1 500,– |
| 57 | Großkreuz für Inländer (Eichenkranz) | 6 000,– |
| 58 | Großkreuz für Ausländer (ohne Kranz) | 6 000,– |
| 59 | Großkreuz für Inländer mit Schwertern (Lorbeerkranz) | 6 500,– |
| 60 | Großkreuz für Ausländer mit Schwertern (ohne Kranz) | 6 500,– |
| 61 | Bruststern zum Großkreuz für Inländer | 3 500,– |
| 62 | Bruststern zum Großkreuz für Ausländer | 3 500,– |
| 63 | Bruststern zum Großkreuz für Inländer mit Schwertern | 4 000,– |
| 64 | Bruststern zum Großkreuz für Ausländer mit Schwertern | 4 000,– |
| 65 | Komturkreuz für Inländer | 3 000,– |
| 66 | Komturkreuz für Ausländer | 3 000,– |
| 67 | Komturkreuz für Inländer mit Schwertern | 3 500,– |
| 68 | Komturkreuz für Ausländer mit Schwertern | 3 500,– |
| 69 | Bruststern zum Komturkreuz 1. Klasse für Inländer (identisch mit Nr. 29) | 6 000,– |

| | | |
|---|---|---|
| 70 | Bruststern zum Komturkreuz 1. Klasse für Ausländer (identisch mit Nr. 30) | 6 000,– |
| 71 | Bruststern zum Komturkreuz 1. Klasse für Inländer mit Schwertern (identisch mit Nr. 31) | 6 000,– |
| 72 | Bruststern zum Komturkreuz 1. Klasse für Ausländer mit Schwertern (identisch mit Nr. 32) | 6 000,– |
| 73 | Ritterkreuz für Inländer | 1 200,– |
| 74 | Ritterkreuz für Ausländer | 1 200,– |
| 75 | Ritterkreuz für Inländer mit Schwertern | 1 500,– |
| 76 | Ritterkreuz für Ausländer mit Schwertern | 1 800,– |
| | 2. Modell (ohne Buchstaben) | |
| 77 | Kollane | * |
| 78 | Kollane mit Schwertern | * |
| 79 | Großkreuz | 2 500,– |

79, 89 80, 90 81, 91

| | | |
|---|---|---|
| 80 | Großkreuz mit Schwertern | 3 500,– |
| 81 | Großkreuz mit Jahreszahlen | 5 000,– |
| 82 | Großkreuz mit Schwertern am Ring | 4 500,– |

| | | |
|---|---|---|
| 83 | Großkreuz mit Schwertern und Schwertern am Ring | * |
| 83a | Großkreuz mit Brillanten | * |
| 84 | Bruststern zum Großkreuz | 1 400,– |
| 85 | Bruststern zum Großkreuz mit Schwertern | 1 700,– |
| 86 | Bruststern zum Großkreuz mit Jahreszahlen | 3 000,– |
| 87 | Bruststern zum Großkreuz mit Schwertern am Ring | 2 400,– |
| 88 | Bruststern zum Großkreuz mit Schwertern und Schwertern am Ring | * |
| 88a | Bruststern zum Großkreuz mit Brillanten | * |

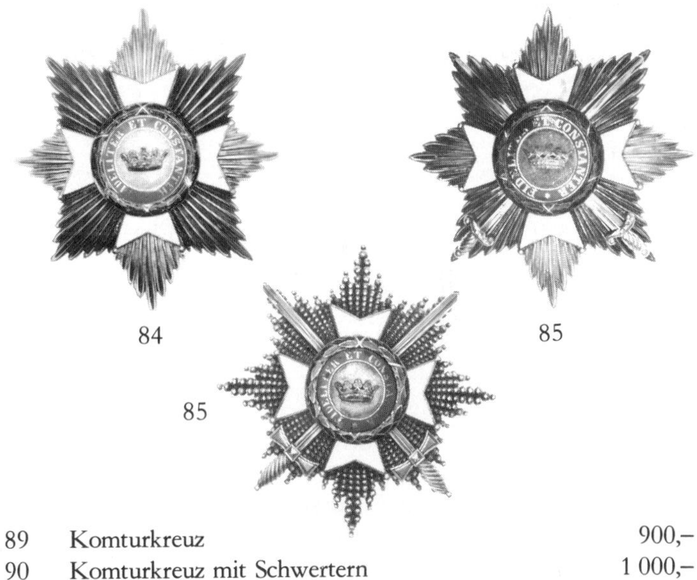

84

85

85

| | | |
|---|---|---|
| 89 | Komturkreuz | 900,– |
| 90 | Komturkreuz mit Schwertern | 1 000,– |
| 91 | Komturkreuz mit Jahreszahlen | 2 800,– |

| Nr. | Bezeichnung | | Preis |
|---|---|---|---|
| 92 | Komturkreuz mit Schwertern | | 1 500,– |
| 93 | Komturkreuz mit Schwertern und Schwertern am Ring | | * |
| 93/1 | Bruststern der Komture 1. Klasse (Form von 1864) | | 2 000,– |
| 94 | Bruststern der Komture 1. Klasse | | 900,– |
| 95 | Bruststern der Komture 1. Klasse mit Schwertern | | 1 150,– |

94

95

| Nr. | Bezeichnung | | Preis |
|---|---|---|---|
| 96 | Bruststern der Komture 1. Klasse mit Jahreszahlen | | 3 500,– |
| 97 | Bruststern der Komture 1. Klasse mit Schwertern am Ring | | 800,– |
| 98 | Bruststern der Komture 1. Klasse mit Schwertern und Schwertern am Ring | | * |
| 99 | Ritterkreuz 1. Klasse | G | 400,– |
| | | Sv | 350,– |
| 100 | Ritterkreuz 1. Klasse mit Schwertern | G | 500,– |
| | | Sv | 450,– |
| 101 | Ritterkreuz 1. Klasse mit Jahreszahlen | | 1 200,– |
| 102 | Ritterkreuz 1. Klasse mit Schwertern am Ring | | 800,– |
| 103 | Ritterkreuz 1. Klasse mit Schwertern und Schwertern am Ring | | * |

| | | |
|---|---|---|
| 104 | Ritterkreuz 2. Klasse | 300,– |
| 105 | Ritterkreuz 2. Klasse mit Schwertern | 325,– |
| 106 | Ritterkreuz 2. Klasse mit Jahreszahlen | 1 000,– |
| 107 | Ritterkreuz 2. Klasse mit Schwertern am Ring | 500,– |

101, 106

101, 106

108

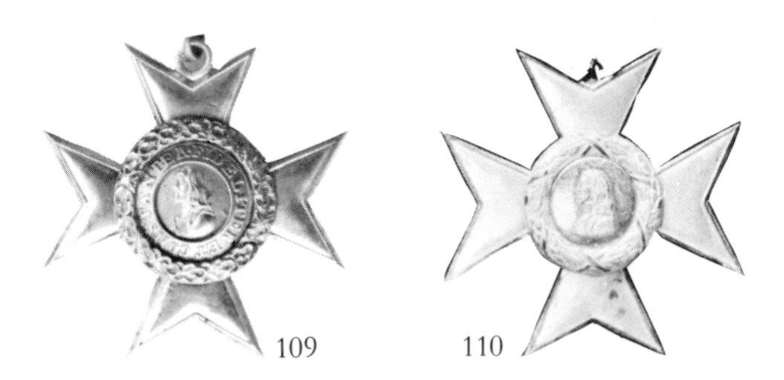

109 110

| | | |
|---|---|---|
| 108 | Prinzessinnenkreuz | * |
| 109 | Silbernes Verdienstkreuz mit Umschrift FIDELITER ET CONSTANTER | 400,– |
| 110 | Silbernes Verdienstkreuz 2. Modell, ab 1866 ohne Stiftungsdatum, glatte Arme | 280,– |

| | | |
|---|---|---|
| 111 | Silbernes Verdienstkreuz 2. Modell mit Schwertern, 1866, 1870 – 1871 | |
| | mit glattem Medaillon | 300,– |
| | mit gekörntem Medaillon | 500,– |
| 112 | Silbernes Verdienstkreuz 3. Modell, 1890 | |
| | gekörnte Arme, Prägung in einem Stück | 150,– |
| | gekörnte Arme, RS Medaillon separat geprägt | 200,– |
| 113 | Silbernes Verdienstkreuz 3. Modell mit Schwertern | 160,– |
| 114 | Silbernes Verdienstkreuz 3. Modell mit Jahreszahlen | 400,– |
| | 115 – 117 nur in Sachsen-Coburg-Gotha verliehen! | |
| 115 | Silbernes Verdienstkreuz 4. Modell, 1916 gekörnte Arme, Medaillon separat geprägt | 180,– |
| 116 | Silbernes Verdienstkreuz 4. Modell | |
| | mit Schwertern, Medaillon glatt | 200,– |
| | Medaillon gekörnt | 350,– |
| 117 | Silbernes Verdienstkreuz 4. Modell mit Jahreszahlen | 400,– |

115

115

Verdienstmedaillen des Ordens, Sachsen-Altenburg

| Nr. | Beschreibung | | Preis |
|---|---|---|---|
| 118 | Silberne Medaille Herzog Friedrich, 1834 – 1870 | | 275,– |
| 120 | Goldene Medaille Herzog Ernst I., 1871 – 1890 (zweiseitiger Backenbart) | Sv | 250,– |
| 121 | wie vor, silberne Medaille | | 180,– |
| 122 | wie vor, silberne Medaille mit Bandspange | S | 250,– |
| 123 | wie vor, silberne Medaille mit Bandspange und Schwertern | | 300,– |
| 123/1 | Goldene Medaille Herzog Ernst I., 1891 – 1908, (einseitiger Backenbart) | Sv | 225,– |
| 123/2 | wie vor, silberne Medaille | | 155,– |
| 124 | Goldene Medaille Herzog Ernst II., 1908 – 1918, 1. Modell Herstellersignatur | Sv | 210,– |
| | 2. Modell ohne Herstellersignatur | Sv | 200,– |

118

123/1, 123/2

| | | | |
|---|---|---|---|
| 125 | wie vor, mit Schwertern | | 230,– |
| 126 | wie vor, mit Bandspange | | 300,– |
| 127 | Silberne Medaille Herzog Ernst II., 1908 – 1918 | | 140,– |
| 128 | wie vor, mit Schwertern | | 200,– |
| 129 | wie vor, mit Bandspange | | 250,– |
| 129/1 | Silberne Medaille Herzog Ernst I., 1834 – 1895 mit Stempelschneider | | 275,– |
| 129/2 | Goldene Medaille Herzog Ernst I., 1864 – 1869, 12 Dukaten | | 825,– |

124, 127

120, 121, 123

124, 127

| | | | |
|---|---|---|---|
| 130 | Goldene Medaille Herzog Ernst I., 1870 – 1895, ohne Stempelschneider | Sv | 350,– |
| 131 | wie vor, silberne Medaille | | 275,– |
| 132 | wie vor, mit Bandspange | | 325,– |
| 133 | wie vor, mit Bandspange und Schwertern | | 375,– |

Verdienstmedaillen des Ordens, Sachsen-Coburg-Gotha

| | | | |
|---|---|---|---|
| 134 | Goldene Medaille Herzog Alfred, 1895 – 1905 | Sv | 200,– |

| | | | |
|---|---|---|---|
| 135 | wie vor, silberne Medaille | | 160,– |
| 136 | Goldene Medaille Herzog Carl Eduard, 1905 – 1935, (5 Prägevarianten) | Sv | 150,– |
| 137 | wie vor, mit Bandspange | | 250,– |
| 138 | wie vor, mit Bandspange und Schwertern | | 375,– |
| 139 | Silberne Medaille Herzog Carl Eduard, 1905 – 1935 | | 100,– |
| 140 | wie vor, mit Schwertern | | 150,– |
| 141 | wie vor, mit Bandspange | | 180,– |
| 142 | wie vor, mit Bandspange und Schwertern | | 225,– |

130, 131

130, 131

38, 142

138, 142

138, 142

Verdienstmedaillen des Ordens, Sachsen-Meiningen

| Nr. | Beschreibung | | Preis |
|---|---|---|---|
| 143 | Silberne Medaille Herzog Bernhard Erich Freund mit Backenbart, 1836 – 1846 | | 350,– |
| 144 | Goldene Medaille Herzog Bernhard Erich Freund mit Backenbart, 1867 – 1871 | Sv | 350,– |
| 145 | Goldene Medaille Herzog Bernhard, 1846 – 1866, mit Kinnbart | | 250,– |
| 145/1 | Silberne Medaille Herzog Bernhard, 1846 – 1866, mit Kinnbart | | 200,– |
| 146 | Goldene Medaille Herzog Georg, 1867 – 1871, mit Backenbart | Sv | 180,– |
| 147 | Silberne Medaille Herzog Georg, 1867 – 1871, mit Backenbart | | 150,– |
| 147/1 | wie vor, mit Bandspange | | 325,– |
| 147/2 | wie vor, mit Bandspange und Schwertern | | 375,– |
| 148 | Goldene Medaille Herzog Georg, 1871 – 1889 (... Herzog zu Sachsen-Meiningen) | Sv | 200,– |
| 149 | Silberne Medaille Herzog Georg, 1871 – 1889 (... Herzog zu Sachsen-Meiningen) | | 150,– |

148, 149

| | | | |
|---|---|---|---|
| 149/1 | Goldene Medaille Herzog Georg, 1890 – 1914 (... Herzog von Sachsen-Meiningen) | Sv | 200,– |
| 149/2 | Silberne Medaille Herzog Georg, 1890 – 1914 (... Herzog von Sachsen-Meiningen) | | 150,– |
| 150 | Goldene Medaille Herzog Bernhard, 1914 – 1918 | Sv | 150,– |
| 151 | Goldene Medaille Herzog Bernhard mit Bandspange | | 250,– |
| 152 | Goldene Medaille Herzog Bernhard mit Bandspange und Schwertern | | 300,– |
| 153 | Silberne Medaille Herzog Bernhard | | 125,– |
| 154 | Silberne Medaille Herzog Bernhard mit Bandspange | | 200,– |
| 155 | Silberne Medaille Herzog Bernhard mit Bandspange und Schwertern | | 250,– |

Gemeinsame militärische Ehrenzeichen der Herzogtümer

| | | | |
|---|---|---|---|
| 156 | Militär-Dienstauszeichnung 1913 – 1918 1. Klasse für 15 Jahre (Kreuz) | | 200,– |
| 157 | Militär-Dienstauszeichnung 2. Klasse für 12 Jahre (Medaille) | | 150,– |
| 158 | Militär-Dienstauszeichnung 3. Klasse für 9 Jahre (Medaille) | | 120,– |

# Sachsen-Altenburg

Allgemeine Ehrenzeichen

| | | | |
|---|---|---|---|
| 159 | Herzog Ernst-Medaille in Gold Ernst I. 1906 – 1909 | Sv | 180,– |

| | | |
|---|---|---|
| 160 | Herzog Ernst-Medaille in Silber | 175,– |
| 161 | Herzog Ernst-Medaille (Ernst II.) 1. Klasse mit Schwertern 1909 – 1918 (Steckkreuz) | 2 100,– |
| 162 | Herzog Ernst-Medaille mit Krone und Schwertern | 350,– |

161

167

165

| | | |
|---|---|---|
| 163 | Herzog Ernst-Medaille mit Krone und Schwertern und Bandschleife „1914" | 500,– |
| 164 | Herzog Ernst-Medaille mit Krone und Bandschleife „1914" | 450,– |
| 165 | Herzog Ernst-Medaille mit Eichenlaub | 500,– |
| 166 | Herzog Ernst-Medaille mit Eichenlaub und Schwertern | 600,– |
| 167 | Herzog Ernst-Medaille | 130,– |
| 168 | Herzog Ernst-Medaille mit Schwertern | 165,– |

Zivile Ehrenzeichen

| Nr. | Bezeichnung | | Preis |
|---|---|---|---|
| 169 | Medaille für Hilfeleistung beim Schloßbrand 1864 | | 190,– |
| 170 | Erinnerungsmedaille zum 50-jährigen Bestehen des Herzogtums | | 250,– |
| 171 | Medaille für Hilfeleistung bei der Überschwemmung im Saalegebiet 1890 | | 250,– |
| 172 | Goldene Jubiläumsmedaille 1903 | G | * |
| 173 | Silberne Jubiläumsmedaille 1903 | | 400,– |
| 174 | Bronzene Jubiläumsmedaille 1903 | | 110,– |
| 175 | Lebensrettungsmedaille<br>1. Modell, Ernst I. 1882 – 1908 | | 600,– |

| | | | |
|---|---|---|---|
| 176 | Lebensrettungsmedaille<br>2. Modell, Ernst II. 1908 – 1918 | | 300,– |
| 177 | Goldene Medaille für Kunst und Wissenschaft mit der Krone 1. Modell, Ernst I. mit zweiseitigem Backenbart, 1874 – 1891 | Sv | 900,– |
| 178 | Goldene Medaille | Sv | 700,– |
| 179 | Silberne Medaille mit der Krone | | 800,– |
| 180 | Silberne Medaille | | 600,– |
| 181 | Goldene Medaille mit der Krone 2. Modell, Ernst I. mit einseitigem Backenbart, 1891 – 1908 | Sv | 900,– |
| 182 | Goldene Medaille | Sv | 600,– |
| 183 | Silberne Medaille mit der Krone | | 700,– |
| 184 | Silberne Medaille | | 400,– |
| 185 | Goldene Medaille mit der Krone 3. Modell Ernst II. 1908 – 1918 | Sv | 725,– |

181, 183

185, 187

185, 187

| | | |
|---|---|---|
| 186 | Goldene Medaille | 575,– |
| 187 | Silberne Medaille mit der Krone | 500,– |
| 188 | Silberne Medaille | 400,– |
| 189 | Feuerwehr-Ehrenzeichen | 125,– |
| 190 | Dienstauszeichnung für Hof- und Staatsbeamte, Geistliche und Lehrer | 450,– |

189

| | | |
|---|---|---|
| 191 | Silbernes Kreuz für langjährige Treue weiblicher Dienstboten | 400,– |
| 192 | Silberne Ehrenauszeichnung für Dienstboten 1. Modell („Für treue Dienste") | 300,– |
| 193 | wie vor, für 50 Dienstjahre, 2. Modell („Für Treue und Arbeit") | 450,– |
| 194 | wie vor, für 30 Dienstjahre | 350,– |

199

194

195, 199

Militärische Ehrenzeichen

| | | |
|---|---|---|
| 195 | Feldzugs-Medaille 1849 | 425,– |
| 196 | Veteranen-Erinnerungszeichen von 1863 für 1813 – 1814 | 300,– |

| | | | |
|---|---|---|---|
| 197 | wie vor, für 1813 – 1815 | | 300,– |
| 198 | wie vor, für 1814 – 1815 | | 300,– |
| 199 | Kriegserinnerungsmedaille 1870/71 | | 800,– |
| 200 | Tapferkeitsmedaille 1914 – 1918 | B | 120,– |
| | | br | 90,– |
| | | vk | 90,– |
| | | KM | 75,– |
| 201 | Offiziers-Dienstauszeichnungskreuz 1. Modell mit Monogramm „JFE", 1836 – 1848 | | 600,– |
| 202 | Offiziers-Dienstauszeichnungskreuz 2. Modell mit Monogramm „GKF", 1848 – 1853 | | 600,– |
| 203 | Offiziers-Dienstauszeichnungskreuz 3. Modell mit Monogramm „E", 1853 – 1867 | | 500,– |
| 204 | Militär-Dienstauszeichnung 1836 – 1848 1. Klasse für 12 Jahre „JFE", | | 200,– |

204, 205

| | | |
|---|---|---|
| 205 | Militär-Dienstauszeichnung 2. Klasse für 9 Jahre | 180,– |
| 206 | Militär-Dienstauszeichnung 3. Klasse für 6 Jahre | 150,– |
| 207 | Militär-Dienstauszeichnung 1848 – 1853 1. Klasse für 12 Jahre „GFK", | 200,– |

208 Militär-Dienstauszeichnung 2. Klasse für 9 Jahre 180,–
209 Militär-Dienstauszeichnung 3. Klasse für 6 Jahre 150,–
210 Militär-Dienstauszeichnung 1853 – 1867 1. Klasse für 12 Jahre „E" 180,–
211 Militär-Dienstauszeichnung 2. Klasse für 9 Jahre 150,–
212 Militär-Dienstauszeichnung 3. Klasse für 6 Jahre 125,–

# Sachsen-Coburg-Gotha

Allgemeine Ehrenzeichen

213 Herzog Ernst-Medaille in Gold Sv 750,–
214 Herzog Ernst-Medaille in Silber, am Halsband 600,–

214 216 217

215 Herzog Ernst-Medaille in Silber 200,–
216 Herzog Alfred-Medaille am Halsband 600,–
217 Herzog Alfred-Medaille 200,–
218 Herzog Carl Eduard-Medaille 1. Klasse 650,–
219 Herzog Carl Eduard-Medaille 2. Klasse 165,–
220 Ovale Herzog Carl Eduard-Medaille mit Krone 150,–

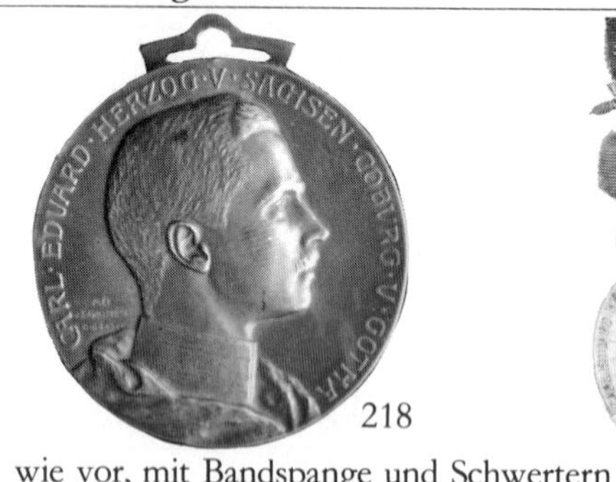

218

221

| | | |
|---|---|---|
| 221 | wie vor, mit Bandspange und Schwertern | 300,– |
| 221/1 | wie vor, mit Bandspange und Schwertern sowie Datum | 700,– |
| 222 | wie vor, mit Bandspange für Heimatverdienst | 250,– |
| 223 | wie vor, mit Schwertern am Ring | 300,– |

Zivile Ehrenzeichen

| | | |
|---|---|---|
| 224 | Erinnerungsmedaille zur Silbernen Hochzeit von Herzog Alfred 1899 | 160,– |
| 225 | Hochzeits-Erinnerungsmedaille von Herzog Carl Eduard 1905 | 150,– |
| 226 | Medaille zur Erinnerung an die Regierungsübernahme 1905 – 1930 | 150,– |
| 227 | Medaille zur Erinnerung an die Vermählung der Prinzessin Sybilla 1932 | 160,– |
| 228 | Lebensrettungsmedaille 1. Modell, Herzog Ernst II. 1883 – 1895 | 350,– |
| 229 | Lebensrettungsmedaille 2. Modell, Herzog Alfred 1895 – 1907 | 350,– |
| 230 | Lebensrettungsmedaille 3. Modell, Herzog Carl Eduard 1907 – 1918 | 300,– |

228–230

230

| | | | |
|---|---|---|---|
| | Verdienstkreuz für Kunst und Wissenschaft | | |
| 231 | 1. Modell Herzog Ernst II. 1860 – 1875 | Sv | 600,– |
| 232 | 2. Modell Herzog Ernst II. 1875 – 1892 | Sv | 600,– |
| 233 | 3. Modell Herzog Ernst II. 1892 – 1895, mit grünem Eichenkranz | Sv | 600,– |
| 234 | 4. Modell Herzog Alfred, „Dem Verdienste", seit 1895 | Sv | 500,– |
| 235 | 5. Modell Herzog Alfred, „Für Kunst und Wissenschaft", bis 1905 | Sv | 500,– |
| 236 | 6. Modell Herzog Carl Eduard 1906 – 1918 Ehrenkreuz (Steckkreuz) | Sv | 800,– |
| 237 | Kreuz für Kunst und Wissenschaft mit der Krone | Sv | 650,– |
| 238 | Kreuz für Kunst und Wissenschaft | Sv | 525,– |
| 239 | Goldene Medaille für bürgerliche Verdienste 1835 – 1837, 39 mm | | 1 500,– |
| 240 | Silberne Medaille, wie vor | | 500,– |
| 241 | Bronzene Medaille, wie vor | | 400,– |
| 242 | Goldene Medaille für bürgerliche Verdienste und KuW 1837 – 1858, 24 mm, breite Öse | | 1 500,– |
| 243 | Silberne Medaille, wie vor | | 450,– |

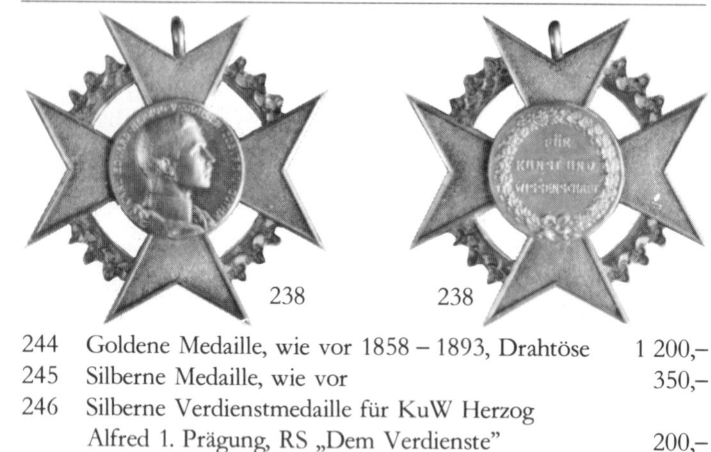

238    238

| | | | |
|---|---|---|---|
| 244 | Goldene Medaille, wie vor 1858 – 1893, Drahtöse | | 1 200,– |
| 245 | Silberne Medaille, wie vor | | 350,– |
| 246 | Silberne Verdienstmedaille für KuW Herzog Alfred 1. Prägung, RS „Dem Verdienste" | | 200,– |
| 247 | Medaille, wie vor Herzog Alfred, 2. Prägung, RS „Für Kunst und Wissenschaft" | | 200,– |
| 248 | Medaille für KuW in Gold mit Krone 1. Prägung, Carl Eduard, ohne Lorbeerkranz | Sv | 350,– |
| 249 | Medaille, wie vor, ohne Krone | Sv | 280,– |
| 250 | Medaille, wie vor, in Silber | | 200,– |

252, 253

252, 253

| | | | |
|---|---|---|---|
| 251 | Medaille für KuW in Gold mit Krone<br>2. Prägung Carl Eduard,<br>mit Lorbeerkranz | Sv | 400,– |
| 252 | Medaille, wie vor, ohne Krone | Sv | 275,– |
| 253 | Medaille, wie vor, in Silber | | 200,– |
| 254 | Medaille für weibliches Verdienst, 1. Modell<br>Herzogin Alexandrine 1869 – 1907 | Sv | 350,– |

254

256, 257 256, 257

| | | | |
|---|---|---|---|
| 255 | Goldene Medaille mit der Krone, wie vor,<br>2. Modell Herzogin Victoria Adelheid<br>1907 – 1917 | Sv | 350,– |
| 256 | Goldene Medaille, wie vor, ohne Krone | Sv | 300,– |
| 257 | Silberne Medaille, wie vor | | 200,– |
| 258 | Feuerwehr-Ehrenzeichen | | 125,– |

## Militärische Ehrenzeichen

| | | | |
|---|---|---|---|
| 259 | Erinnerungskreuz für Eckernförde 1849<br>für Offiziere | | 800,– |

| | | |
|---|---|---|
| 260 | wie vor, für Unteroffiziere und Mannschaften | 600,– |
| 261 | Carl Eduard-Kriegskreuz 1916 – 1918 | 1 800,– |

260 261 266

| | | |
|---|---|---|
| 262 | Carl Eduard-Kriegskreuz mit Brillanten | * |
| 263 | Ehrenzeichen für Heimatverdienste | 175,– |
| 264 | Kriegs-Erinnerungskreuz 1914 – 1918 am Band | 250,– |
| 265 | Kriegs-Erinnerungskreuz 1914 – 1918 Steckkreuz | 220,– |
| 266 | Offiziersdienstauszeichnungskreuz für 25 Jahre | 800,– |
| 267 | Militärdienstauszeichnungen | |
| | 1. Klasse für 21 Jahre | |
| | 1. Modell 1846 – 1888, mit „E" | 300,– |
| 268 | 2. Klasse für 15 Jahre | 250,– |
| 269 | 3. Klasse für 9 Jahre | 175,– |

272

| | | | |
|---|---|---|---|
| 270 | 1. Klasse für 21 Jahre<br>2. Modell 1888 – 1894, mit „E" und Eichenlaub | | 300,– |
| 271 | 2. Klasse für 15 Jahre | | 250,– |
| 272 | 3. Klasse für 9 Jahre | | 175,– |
| 273 | 1. Klasse für 21 Jahre<br>3. Modell 1894 – 1901, mit „A" | | 250,– |
| 274 | 2. Klasse für 15 Jahre | | 200,– |
| 275 | 3. Klasse für 9 Jahre | | 150,– |
| 276 | 1. Klasse für 21 Jahre<br>4. Modell 1901 – 1913, mit „CE" | | 250,– |
| 277 | 2. Klasse für 15 Jahre | | 200,– |
| 278 | 3. Klasse für 9 Jahre | | 150,– |

# Sachsen-Meiningen

Zivile Ehrenzeichen

| | | | |
|---|---|---|---|
| 279 | Lebensrettungsmedaille | | 250,– |
| 280 | Verdienstorden für KuW 1. Klasse, Kreuz<br>(1. Prägung „Herzog zu Sachsen. .") | | 600,– |
| 281 | 2. Klasse, Medaille | Sv | 350,– |
| 282 | Verdienstorden für KuW 1. Klasse, Kreuz<br>(2. Prägung „Herzog von Sachsen. .") | | 600,– |
| 283 | 2. Klasse, Medaille | Sv | 325,– |

280

284

286

Militärische Ehrenzeichen

| | | | |
|---|---|---|---|
| 284 | Kreuz für Verdienst im Kriege (1915 – 1918) | | |
| | am Band für Kämpfer | B | 125,– |
| | am Band für Kämpfer | KM | 140,– |
| | am Band für Nichtkämpfer | B | 140,– |
| | am Band für Nichtkämpfer | KM | 150,– |
| 285 | Medaille für Verdienst im Kriege (1915 – 1918) | | |
| | am Band für Kämpfer | B | 90,– |
| | am Band für Kämpfer | KM | 90,– |
| | am Band für Nichtkämpfer | B | 90,– |
| | am Band für Nichtkämpfer | KM | 90,– |
| 286 | Verdienstkreuz für Frauen und Jungfrauen in der Kriegsfürsorge | B | 240,– |
| | | KM | 310,– |
| 287 | Offiziersdienstauszeichnungskreuz für 25 Jahre | | 250,– |
| 288 | Militärdienstauszeichnung 1. Klasse für 24 Jahre | | |
| | 1. Modell 1852 – 1867, „B.H.z.S.M." | | 300,– |
| 289 | 2. Klasse für 16 Jahre | | 225,– |

294, 295

296

| | | |
|---|---|---|
| 290 | 3. Klasse für 8 Jahre | 175,– |
| 291 | 1. Klasse für 21 Jahre<br>2. Modell 1866 – 1888, „G.H.z.s.M." | 225,– |
| 292 | 2. Klasse für 15 Jahre | 175,– |
| 293 | 3. Klasse für 9 Jahre | 140,– |
| 294 | 1. Klasse für 21 Jahre<br>3. Modell 1888 – 1913, „G" | 220,– |
| 295 | 2. Klasse für 15 Jahre | 175,– |
| 296 | 3. Klasse für 9 Jahre | 140,– |

# Schaumburg-Lippe

## Hausorden

| | | |
|---|---|---|
| 1 | 1. Klasse | 5 500,– |
| 2 | 1. Klasse mit Schwertern | 6 500,– |
| 3 | 1. Klasse mit Schwertern am Ring | * |
| 4 | 2. Klasse mit Eichenlaub | 3 000,– |
| 5 | 2. Klasse mit Eichenlaub und Schwertern | 3 500,– |
| 6 | 2. Klasse mit Eichenlaub und Schwertern am Ring | * |
| 7 | 2. Klasse | 2 500,– |
| 8 | 2. Klasse mit Schwertern | 3 000,– |

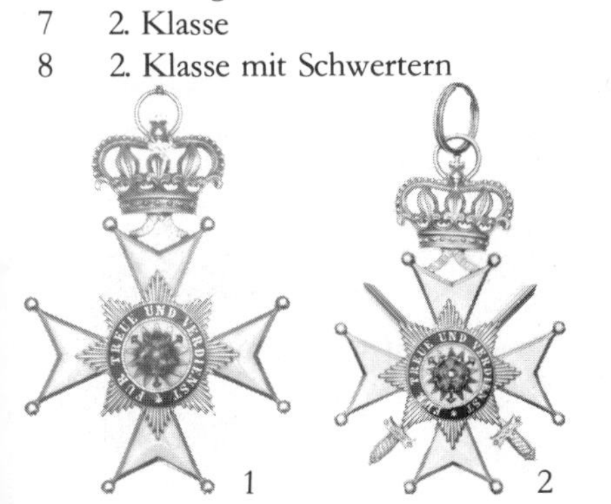


1 2

7

| | | | |
|---|---|---|---|
| 9 | 2. Klasse mit Schwertern am Ring | | * |
| 10 | Offiziersehrenkreuz | | 2 000,– |
| 11 | Offiziersehrenkreuz mit Schwertern | | 2 500,– |
| 12 | 3. Klasse mit Krone | | 1 500,– |
| 13 | 3. Klasse mit Krone und Schwertern | | 2 000,– |
| 14 | 3. Klasse mit Krone und Schwertern am Ring | | * |
| 15 | 3. Klasse | | 1 100,– |
| 16 | 3. Klasse mit Schwertern | | 1 500,– |
| 17 | 3. Klasse mit Schwertern am Ring | | * |
| 18 | 4. Klasse mit Krone | | 600,– |
| 19 | 4. Klasse mit Krone und Schwertern | | 750,– |
| 20 | 4. Klasse | | 400,– |
| 21 | 4. Klasse mit Schwertern | | 600,– |
| 22 | Goldenes Verdienstkreuz | G | 700,– |
| | | Sv | 325,– |
| 23 | Silbernes Verdienstkreuz | | 300,– |

Orden für Kunst und Wissenschaft

| | | | |
|---|---|---|---|
| 24 | 1. Klasse 1. Modell, 1899 – 1914 | S | 800,– |
| 25 | 1. Klasse 2. Modell, 1914 – 1918 | Sv | 800,– |
| 26 | 2. Klasse 1. Modell, 1899 – 1902, Medaille | | 600,– |
| 27 | 2. Klasse 2. Modell, 1902 – 1918, Silberkreuz | | 700,– |

21

22, 23

27

27 29, 30 29, 30

Zivile Ehrenzeichen

| Nr. | Bezeichnung | | Preis |
|---|---|---|---|
| 28 | Civil-Verdienstmedaille 1830 – 1869, | B | 400,– |
| 29 | Goldene Verdienstmedaille 1. Modell 1869 – 1877, VS „AG", RS Schildchen mit Nesselblattwappen | | 1 000,– |
| 30 | Silberne Medaille, wie vor | | 350,– |
| 31 | Goldene Medaille, wie vor 2. Modell, 1885 – 1890, VS Kopf Adolph Georg, RS rundes Schildchen mit Nesselblattwappen | | 900,– |
| 32 | Silberne Medaille, wie vor | | 350,– |

33, 34

33, 34

| | | | |
|---|---|---|---|
| 33 | Goldene Medaille, wie vor 3. Modell, 1890 – 1893, VS „AG", RS Stern mit Rose | G | 900,– |
| 34 | Silberne Medaille, wie vor | | 350,– |
| 35 | Goldene Medaille, wie vor 4. Modell, 1893 – 1905, VS Wappenschild mit Rose, RS 4 Zeilen in unterschiedlicher Buchstabengröße | G | 800,– |
| 36 | Silberne Medaille, wie vor | | 300,– |

35, 36

44

35, 36

37, 38, 42

42

48

| | | | |
|---|---|---|---|
| 37 | Goldene Medaille, wie vor 5. Modell, 1905 – 1914, VS Wappenschild mit Rose, RS 4 Zeilen in gleichgroßer Schrift | G | 800,– |

| Nr. | Bezeichnung | | Preis |
|---|---|---|---|
| 38 | Silberne Medaille, wie vor | | 380,– |
| 39 | Goldene Medaille, wie vor 6. Modell, 1914 – 1918, VS Kopf Adolph, RS Wappenschild | Sv | 400,– |
| 40 | Silberne Medaille, wie vor | | 325,– |
| 41 | Erinnerungsmedaille an die Silberne Hochzeit 1907 | | 150,– |
| 42 | Lebensrettungsmedaille | | 300,– |
| 43 | Fürst Adolph-Medaille | | 1 900,– |
| 44 | Verdienstmedaille für 25 jährige Feuerwehrdienste | | 275,– |
| 45 | Goldenes Ehrenzeichen für 50 jährige Dienste | G | 800,– |
| | | vg | 400,– |
| 46 | Goldenes Kreuz für 40 Dienstjahre weiblicher Dienstboten | | 800,– |
| 46/1 | Goldenes Amtskreuz f. Landessuperintendenten | | * |

Militärische Ehrenzeichen

| Nr. | Bezeichnung | Preis |
|---|---|---|
| 47 | Militär-Denkmünze 1808 – 1815 | 1 200,– |
| 48 | Feldzugskreuz 1849 | 700,– |
| 49 | Militär-Verdienstmedaille | 200,– |

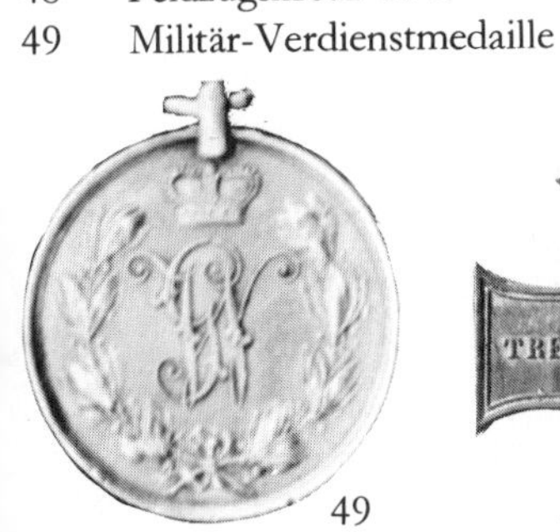
49

53

57

| | | | |
|---|---|---|---|
| 50 | Militär-Verdienstmedaille mit gekreuzten Säbeln | | 400,– |
| 51 | Militär-Verdienstmedaille mit gekreuzten Schwertern | | 300,– |
| 52 | Militär-Verdienstmedaille mit Rotem Kreuz | | 400,– |
| 53 | Kreuz für treue Dienste 1870 | | 700,– |
| 54 | Kreuz für treue Dienste 1914, Steckkreuz | | 350,– |
| 55 | wie vor, am Band f. Kämpfer | | 110,– |
| 56 | wie vor, am Band f. Nichtkämpfer | | 110,– |
| 57 | Offiziersdienstauszeichnungskreuz für 50 Jahre | G | 4 000,– |
| 58 | wie vor, für 25 Jahre | vg | 300,– |
| 59 | Militärdienstauszeichnung 1. Klasse | | 300,– |
| 60 | Militärdienstauszeichnung 2. Klasse | | 250,– |
| 61 | Militärdienstauszeichnung 3. Klasse | | 200,– |

# Schleswig-Holstein

## St. Annen-Orden

| | | | |
|---|---|---|---|
| 1 | Kreuz | | * |
| 2 | Bruststern | | * |

## Zivile Ehrenzeichen

| | | | |
|---|---|---|---|
| 3 | Medaille zur Erinnerung an die Proklamierung Friedrich VIII. zum Herzog 1863 | | 200,– |
| 3/1 | Medaille zur Erinnerung an den 50. Geburtstag Herzog Ernst Günther, 1913 | S | 400,– |
| | | B vg | 400,– |

## Militärische Ehrenzeichen

| | | | |
|---|---|---|---|
| 4 | Kriegskreuz 1848 – 1849 | | 140,– |
| 5 | Offiziersdienstauszeichnung für 30 Jahre | | 500,– |

| | | |
|---|---|---|
| 6 | wie vor, für 20 Jahre | 400,– |
| 7 | Militärdienstauszeichnung für 16 Jahre | 350,– |
| 8 | wie vor, für 8 Jahre | 300,– |

4

# Schwarzburg-Rudolstadt

Damen-Orden 18. Jhdt.

| | | |
|---|---|---|
| 1 | Kreuz | * |

Ehrenkreuz

| | | |
|---|---|---|
| | Rückseitig mit Monogramm „FG" | |
| 2 | 1. Klasse mit Krone | 5 000,– |
| 3 | 1. Klasse mit Krone und Schwertern | 7 500,– |
| 4 | 1. Klasse | 2 000,– |
| 5 | 1. Klasse mit Schwertern | 5 000,– |
| 6 | 1. Klasse mit Eichenlaub | 5 000,– |
| 7 | 2. Klasse | 900,– |

2, 38

3

3, 39

7, 43

8

9, 43

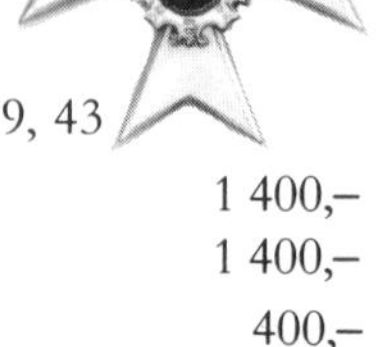

| | | |
|---|---|---|
| 8 | 2. Klasse mit Schwertern | 1 400,– |
| 9 | 2. Klasse mit Eichenlaub | 1 400,– |
| 10 | 3. Klasse | 400,– |
| 11 | 3. Klasse mit Schwertern | 500,– |
| 12 | 3. Klasse mit Eichenlaub | 500,– |
| 13 | 4. Klasse | 300,– |
| 14 | 4. Klasse mit Schwertern | 400,– |
| 15 | 4. Klasse mit Eichenlaub | 400,– |

11, 47

12, 48

14, 50

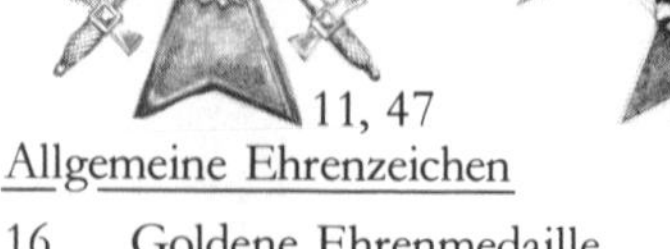

Allgemeine Ehrenzeichen

| | | | |
|---|---|---|---|
| 16 | Goldene Ehrenmedaille | G | 600,– |
| | | Sv | 240,– |

| | | | |
|---|---|---|---|
| 17 | wie vor, mit Eichenbruch 1914 – 1915 | Sv | 400,– |
| | | vg | 350,– |
| 18 | Silberne Ehrenmedaille | S | 150,– |
| 19 | wie vor, mit Eichenbruch 1914 – 1915 | S | 225,– |
| | | vs | 175,– |
| 20 | Goldene Verdienstmedaille | | 250,– |
| 21 | wie vor, mit Spange „1917" (2 Bänder) | | 300,– |
| 22 | Silberne Verdienstmedaille | | 200,– |
| 23 | wie vor, mit Spange „1917" (2 Bänder) | | 250,– |
| 24 | Silberne Anerkennungsmedaille | | 150,– |

20–26 20–23 24–27

| | | |
|---|---|---|
| 25 | wie vor, mit Spange „1917" (2 Bänder) | 200,– |
| 26 | Bronzene Anerkennungsmedaille | 125,– |
| 27 | wie vor, mit Spange „1917" (2 Bänder) | 160,– |
| 27/1 | Medaille für KuW | 700,– |
| 27/2 | Medaille für Handel und Gewerbe | 200,– |
| 27/3 | Medaille für Landwirtschaft | 200,– |

## Militärische Ehrenzeichen

| | | |
|---|---|---|
| 28 | Kriegserinnerungskreuz 1814 – 1815 | 850,– |
| 29 | Kriegsverdienstmedaille 1870 | 725,– |
| 30 | Dienstauszeichnung 4. Klasse 1853 – 1857 | 350,– |
| 31 | Offiziersdienstauszeichnungskreuz für 20 Jahre | 450,– |

31

31

## Militär-Dienstauszeichnungen

| | | |
|---|---|---|
| 32 | Kreuz für Unteroffizier für 25 Jahre | 800,– |
| 33 | Medaille für Unteroffiziere für 16 Jahre | 450,– |
| 34 | Medaille für Mannschaften für 9 Jahre | 400,– |

32

33

34

| | | |
|---|---|---|
| 35 | 1. Klasse für 21 Jahre (Schnalle) | 225,– |
| 36 | 2. Klasse für 15 Jahre | 175,– |
| 37 | 3. Klasse für 9 Jahre | 150,– |

35, 36

# Schwarzburg-Sondershausen

Ehrenkreuz

Rückseite mit Monogramm „GFC"

| | | |
|---|---|---|
| 38 | 1. Klasse mit Krone | 5 000,– |
| 39 | 1. Klasse mit Krone und Schwertern | 7 500,– |
| 40 | 1. Klasse | 2 000,– |
| 41 | 1. Klasse mit Schwertern | 5 000,– |
| 42 | 1. Klasse mit Eichenlaub | 5 000,– |
| 43 | 2. Klasse | 900,– |
| 44 | 2. Klasse mit Schwertern | 1 400,– |
| 45 | 2. Klasse mit Eichenlaub | 1 400,– |
| 46 | 3. Klasse | 400,– |
| 47 | 3. Klasse mit Schwertern | 500,– |
| 48 | 3. Klasse mit Eichenlaub | 500,– |
| 49 | 4. Klasse | 300,– |
| 50 | 4. Klasse mit Schwertern | 380,– |
| 51 | 4. Klasse mit Eichenlaub | 380,– |

## Schwarzburg-Sondershausen

### Allgemeine Ehrenzeichen

| | | | |
|---|---|---|---|
| 52 | Goldene Ehrenmedaille | G | 600,– |
| | | Sv | 200,– |
| 53 | Goldene Ehrenmedaille mit Eichenlaub „1914/1915" | | 250,– |
| 54 | Silberne Ehrenmedaille | | 150,– |
| 55 | Silberne Ehrenmedaille mit Eichenlaub „1914/1915" | | 200,– |

49

52, 54

52, 54

### Zivile Ehrenzeichen

| | | | |
|---|---|---|---|
| 56 | Silberne Rettungsmedaille 1. Modell 1868 – 1890, VS "GFC" | S | 400,– |
| 57 | Goldene Rettungsmedaille 2. Modell 1890 – 1898, VS Kopf | G | 1 000,– |
| 57/a | Silberne Medaille, wie vor | S | 300,– |
| 58 | Goldene Rettungsmedaille 3. Modell 1898 – 1918 | G | 1 000,– |
| 58/a | Silberne Medaille, wie vor | S | 300,– |
| 59 | Regierungsjubiläumsmedaille 1905 | | 130,– |

| | | |
|---|---|---|
| 60 | Goldene Medaille für KuW, 1. Modell, 1846 – 1857<br>Günther Carl II., jüngeres Bildnis | 1 800,– |
| 61 | Silberne Medaille, wie vor | 450,– |

56 56

57, 58, 64, 69

57, 58 60, 61

| | | |
|---|---|---|
| 62 | Goldene Medaille für KuW, 2. Modell, 1857 – 1889<br>Günther Carl II., älteres Bildnis | 1 500,– |
| 63 | Silberne Medaille, wie vor | 350,– |
| 64 | Goldene Medaille für KuW, 3. Modell. 1889 – 1918 (Karl Günther) | 825,– |

| Nr. | Bezeichnung | Preis |
|---|---|---|
| 65 | Silberne Medaille, wie vor | 190,– |

60–65 68, 69 76

| Nr. | Bezeichnung | Preis |
|---|---|---|
| 66 | Goldene Medaille für gewerbliches Verdienst | |
| | 1. Modell 1889 – 1898 | 1 200,– |
| | 2. Modell 1898 – 1918 | 1 200,– |
| 67 | Silberne Medaille, wie vor | |
| | 1. Modell 1889 – 1898 | 300,– |
| | 2. Modell 1898 – 1918 | 300,– |
| 68 | Goldene Medaille für landwirtschaftliches Verdienst | |
| | 1. Modell 1889 – 1898 | 1 200,– |
| | 2. Modell 1898 – 1918 | 1 200,– |
| 69 | Silberne Medaille, wie vor | |
| | 1. Modell 1889 – 1898 | 300,– |
| | 2. Modell 1898 – 1918 | 300,– |
| 70 | Feuerwehr-Ehrenzeichen | 150,– |
| 71 | Medaille für männliche Dienstboten und Arbeiter | 300,– |
| 72 | Medaille, wie vor, mit Eichenbruch „50" | 400,– |
| 73 | Medaille, wie vor, mit Eichenbruch „60" | 500,– |
| 74 | Kreuz für langjährige Diensttreue weiblicher Dienstboten | 500,– |

| | | |
|---|---|---|
| 75 | Auszeichnungsbrosche für 30-jährige Hebammentätigkeit | 500,– |
| 76 | Kriegsdenkmünze 1814 – 1815 | 500,– |
| 77 | Ehrenmedaille 1870/71 | 580,– |
| 78 | Offiziersdienstauszeichnungskreuz für 20 Jahre | 1 500,– |
| 79 | wie vor, mit Krone | 1 500,– |
| 80 | wie vor, für fürstliche Personen | 4 000,– |
| 81 | Militär-Dienstauszeichnung 1. Klasse (Schnalle) | 175,– |
| 82 | Militär-Dienstauszeichnung 2. Klasse (Schnalle) | 150,– |

77, 88

77

81, 82

| | | | |
|---|---|---|---|
| 83 | Gendarmerie-Dienstauszeichnung 1. Klasse (Schnalle) | | 165,– |
| 84 | Gendarmerie-Dienstauszeichnung 2. Klasse (Schnalle) | | 145,– |

# Schwarzburg-Rudolstadt und-Sondershausen gemeinsam

## Verdienstorden für Kunst und Wissenschaft

| | | | |
|---|---|---|---|
| 85 | Ordenszeichen | | 1 500,– |

## Zivile Ehrenzeichen

| | | | |
|---|---|---|---|
| 86 | Ehrenzeichen 1. Klasse für die Feuerwehr | | 150,– |
| 87 | Ehrenzeichen 2. Klasse für die Feuerwehr | | 100,– |

## Militärische Ehrenzeichen

| | | | |
|---|---|---|---|
| 88 | Silberne Medaille für Verdienst im Kriege 1914 (2 verschiedene Bänder) | S | 165,– |
| | | vs | 120,– |
| 89 | Anna-Luisen-Verdienstzeichen 1918 | | 1 200,– |

| | | |
|---|---|---|
| 90 | Dienstauszeichnung 1. Klasse für Unteroffiziere für 15 Jahre (Kreuz) | 150,– |
| 91 | Dienstauszeichnung 2. Klasse für 12 Jahre (Medaille) | 100,– |
| 92 | Dienstauszeichnung 3. Klasse für 9 Jahre (Medaille) | 90,– |

# Thurn und Taxis

Ordre de Parfaite Amitie

| | | |
|---|---|---|
| 1 | Kreuz des Fürsten Albert in Brillanten | * |
| 2 | Kreuz für Herren | 4 500,– |
| 3 | Kreuz für Damen | 4 000,– |

2, 3

# Trier

Militärische Ehrenzeichen

| | | |
|---|---|---|
| 1 | Goldene Tapferkeitsmedaille 1796 – 1801 | 4 000,– |
| 2 | Silberne Tapferkeitsmedaille | 2 000,– |

# Waldeck

Verdienstkreuz

| | | | |
|---|---|---|---|
| 1 | 1. Klasse mit Krone | G | 3 500,– |
| | | Sv | 1 500,– |
| 2 | 1. Klasse mit Krone und Schwertern | | 5 000,– |
| 3 | 1. Klasse mit Eichenlaub | G | 3 500,– |
| | | Sv | 1 700,– |
| 4 | 1. Klasse mit Eichenlaub und Schwertern | | 5 000,– |
| 5 | 2. Klasse | | 2 500,– |
| 6 | 2. Klasse mit Eichenlaub und Schwertern | | 3 500,– |
| 7 | Offizierskreuz | | 950,– |
| 8 | Offizierskreuz mit Schwertern | | 1 250,– |
| 9 | 3. Klasse | G | 1 250,– |
| | | Sv | 900,– |

1

2

3

6

7

| | | |
|---|---|---|
| 10 | 3. Klasse mit Schwertern | 1 250,– |
| 11 | 4. Klasse | 350,– |
| 12 | 4. Klasse mit Schwertern | 500,– |
| 13 | Ehrenkreuz | 600,– |
| 14 | Ehrenkreuz mit Schwertern | 900,– |

9 11

14 15 17

## Militärverdienstorden

| | | |
|---|---|---|
| 15 | 1. Klasse | 3 500,– |
| 16 | 2. Klasse | 1 500,– |
| 17 | 3. Klasse (emailliertes Zentrum) | 650,– |
| 18 | 4. Klasse (vergoldetes Zentrum) | 500,– |

## Zivile Ehrenzeichen

| | | | |
|---|---|---|---|
| 19 | Goldene Verdienstmedaille | Sv | 200,– |
| 20 | Goldene Verdienstmedaille mit Schwertern | Sv | 300,– |
| | | vg | 200,– |
| 20/1 | Silberne Verdienstmedaille 1878 – 1899 | | |
| | am Band für Zivilverdienste | | 180,– |
| | am Band für Militärverdienste | | 180,– |
| 21 | Silberne Verdienstmedaille | | 150,– |
| 22 | Silberne Verdienstmedaille mit Schwertern | S | 250,– |
| | | vs | 175,– |

20, 22

20

22

23

| | | |
|---|---|---|
| 23 | Große Medaille für Kunst und Wissenschaft | * |
| 24 | Kleine Medaille für Kunst und Wissenschaft | 1 100,– |
| 25 | Feuerwehr-Ehrenzeichen | 175,– |

Militärische Ehrenzeichen

| | | |
|---|---|---|
| 26 | Feldzugsmedaille 1813 – 1815 | 750,– |
| 27 | Feldzugsmedaille 1849 | 600,– |
| 28 | Friedrich Bathildis-Medaille 1915 – 1918 | 225,– |
| 29 | Offiziersdienstauszeichnungskreuz für 25 Jahre | 350,– |
| 30 | Militär-Dienstauszeichnung 1. Klasse (Schnalle) | 200,– |
| 31 | wie vor, 2. Klasse | 175,– |
| 32 | wie vor, 3. Klasse | 150,– |
| 33 | Gendarmerie-Dienstauszeichnung 1. Klasse | 200,– |
| 34 | wie vor, 2. Klasse | 175,– |
| 35 | wie vor, 3. Klasse | 150,– |
| 36 | Kriegervereins-Ehrenzeichen | 300,– |

# Westphalen

Orden der Westphälischen Krone

| | | |
|---|---|---|
| 1 | Kollane | * |
| 2 | Großkreuz | * |
| 3 | Bruststern | * |
| 4 | Kommandeurkreuz | * |
| 5 | Ritterkreuz 1. Klasse | * |
| 6 | Ritterkreuz 2. Klasse | * |

Ehrenzeichen

| | | |
|---|---|---|
| 7 | Goldene Ehrenmedaille 1809, rund | * |
| 8 | Silberne Ehrenmedaille | 2 500,– |

| | | |
|---|---|---|
| 9 | Goldene Ehrenmedaille 1809 – 1813, oval 6 Kugeln | 1 500,– |
| 10 | Silberne Ehrenmedaille wie vor, | 1 000,– |

9, 10 9, 10

| | | |
|---|---|---|
| 11 | Goldene Ehrenmedaille, 1809 – 1813, oval 7 Kugeln | 1 000,– |
| 12 | Silberne Ehrenmedaille, wie vor | 750,– |
| 13 | Abzeichen für Palastdamen | * |

# Württemberg

## Damenorden vom Totenkopf

| | | |
|---|---|---|
| 0 | Ordenskreuz | * |

## St. Hubertus-Jagdorden

| | | |
|---|---|---|
| 1 | Ordenskreuz | * |
| 2 | Bruststern | * |

## Orden der Akademie

| | | |
|---|---|---|
| 2/1 | Ordenskreuz | * |

## Orden vom Goldenen Adler

| | | |
|---|---|---|
| 3 | Kollane Monogramm „FR" | * |

3, 4

## Württemberg

| | | | |
|---|---|---|---|
| 3/1 | Kollane Monogramm "CC" | | * |
| 4 | Ordenskreuz | | * |
| 5 | Bruststern | | 5 000,– |
| 6 | Kollane Monogramm „W" | | * |
| 7 | Ordenskreuz | | * |
| 8 | Bruststern | | * |
| 8/1 | Kleine Adelsdekoration, 1808 | | * |

### Orden der Württembergischen Krone

| | | | |
|---|---|---|---|
| 9 | Großkreuz | | 5 000,– |
| 9/1 | Großkreuz mit Brillanten | | * |
| 10 | Großkreuz mit Schwertern | | 6 500,– |
| 11 | Bruststern für Souveraine | | 4 000,– |

5

11

| | | | |
|---|---|---|---|
| 12 | Bruststern für Souveraine mit Schwertern | | 4 500,– |
| 13 | Bruststern | | 3 000,– |
| 13/1 | Bruststern mit Brillanten | | * |
| 14 | Bruststern mit Schwertern | | 3 500,– |
| 15 | Komturkreuz mit Krone | | 2 500,– |
| 16 | Komturkreuz mit Krone und Schwertern | G | 3 500,– |
| | | Sv | 2 500,– |

17/1 Komturkreuz mit Brillanten *

16

| | | | |
|---|---|---|---|
| 19 | Bruststern zum Komturkreuz 1. Klasse | | * |
| 20 | Bruststern zum Komturkreuz mit Schwertern | | * |
| 21 | Ehrenritterkreuz mit der Krone und Löwen | | * |
| 22 | Ehrenritterkreuz mit der Krone, Löwen und Schwertern | | * |

27

28

| | | | |
|---|---|---|---|
| 27 | Ehrenkreuz | G | 1 200,– |
| | | Sv | 800,– |
| 28 | Ehrenkreuz mit Schwertern | G | 1 500,– |
| | | Sv | 1 100,– |
| 31 | Ritterkreuz 1. Klasse | G | 700,– |
| | | Sv | 500,– |

| | | | |
|---|---|---|---|
| 32 | Ritterkreuz 1. Klasse mit Schwertern | G | 2 000,– |
| | | Sv | 900,– |
| 33 | Ritterkreuz 2. Klasse | G | 400,– |
| | | Sv | 300,– |
| 34 | Ritterkreuz 2. Klasse mit Schwertern | G | 600,– |
| | | Sv | 400,– |
| 35 | Medaille | | 300,– |

Civilverdienstorden

| | | |
|---|---|---|
| 36 | Großkreuz (identisch mit Nr. 45) | * |
| 37 | Bruststern zum Großkreuz (identisch mit Nr. 46) | * |
| 38 | Kommandeurkreuz (identisch mit Nr. 47) | * |
| 39 | Ritterkreuz (identisch mit Nr. 48) | * |

Militär Carls-Orden (1759)

| | | |
|---|---|---|
| 40 | Ordenskreuz | * |

Militär-Verdienstorden

| | | |
|---|---|---|
| | 1. Modell 1799, mit Fürstenhut, im Monogramm „W" | |
| 41 | Großkreuz | * |
| 42 | Bruststern zum Großkreuz | * |
| 43 | Kommandeurkreuz | * |
| 44 | Ritterkreuz | * |
| | 2. Modell 1806, im Monogramm „FR" | |
| 45 | Großkreuz (identisch mit Nr. 36) | * |
| 46 | Bruststern zum Großkreuz (identisch mit Nr. 37) | * |
| 47 | Kommandeurkreuz (identisch mit Nr. 38) | * |
| 48 | Ritterkreuz (identisch mit Nr. 39) | * |
| | 3. Modell 1818, im Medaillon Lorbeerkranz, Monogramm „W" | |

| | | | |
|---|---|---|---|
| 49 | Großkreuz (identisch mit Nr. 51) | | * |
| 50 | Bruststern zum Großkreuz | | * |
| 51 | Kommandeurkreuz (identisch mit Nr. 49) | | * |
| 52 | Ritterkreuz | G | * |
| | 4. Modell 1870, wie vor, Monogramm „KR" | | |
| 53 | Großkreuz | | 15 000,– |
| 54 | Bruststern zum Großkreuz | | * |
| 55 | Kommandeurkreuz | | * |
| 56 | Ritterkreuz | | 4 500,– |
| | 5. Modell 1892, wie vor, Monogramm „WR" | | |
| 57 | Großkreuz | | 12 000,– |
| 58 | Bruststern zum Großkreuz | | 5 500,– |
| 59 | Kommandeurkreuz | | 5 500,– |
| 60 | Ritterkreuz | G | 900,– |
| | | Sv | 500,– |

55, 56

57

60

Friedrichs-Orden

| | | |
|---|---|---|
| 61 | Großkreuz mit Krone | * |
| 62 | Großkreuz mit Krone und Schwertern | * |
| 64 | Großkreuz | 4 500,– |
| 65 | Großkreuz mit Schwertern | 5 000,– |

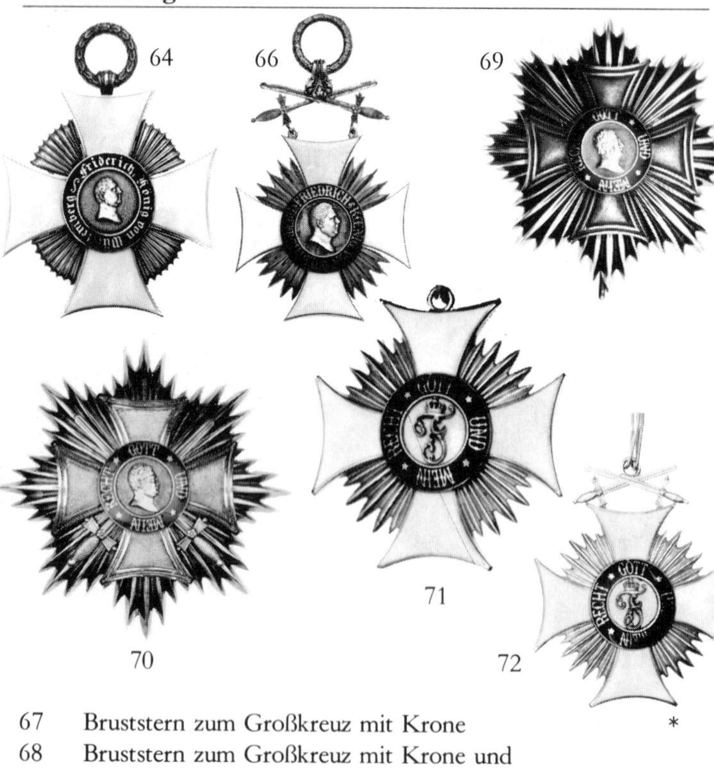


| | | | |
|---|---|---|---|
| 67 | Bruststern zum Großkreuz mit Krone | | * |
| 68 | Bruststern zum Großkreuz mit Krone und Schwertern | | * |
| 69 | Bruststern zum Großkreuz | | 2 000,– |
| 70 | Bruststern zum Großkreuz mit Schwertern | | 3 000,– |
| 71 | Komturkreuz | G | 1 400,– |
| | | Sv | 900,– |
| 72 | Komturkreuz mit Schwertern | G | 1 800,– |
| | | Sv | 1 200,– |

| | | | |
|---|---|---|---|
| 73 | Bruststern zum Komtur 1. Klasse | | 1 800,– |
| 74 | Bruststern zum Komtur mit Schwertern | | 2 500,– |
| 75 | Ritterkreuz 1. Klasse | G | 400,– |
| | | Sv | 350,– |
| 76 | Ritterkreuz 1. Klasse mit Schwertern | G | 550,– |
| | | Sv | 450,– |
| 77 | Ritterkreuz 2. Klasse | | 180,– |
| 78 | Ritterkreuz 2. Klasse mit Schwertern | | 200,– |
| 79 | Medaille | | 85,– |

73

73

74

75

Olga-Orden

| | | |
|---|---|---|
| 80 | Ordenskreuz | 300,– |

Allgemeine Ehrenzeichen

| | | |
|---|---|---|
| 81 | Silbernes Verdienstkreuz | 150,– |
| 82 | Silbernes Verdienstkreuz mit Schwertern | 225,– |

79  80  83, 84, 122, 123

Zivile Ehrenzeichen

| | | |
|---|---|---|
| | Zivilverdienstmedaillen: | |
| 83 | Goldene Medaille, 1. Modell<br>1806 – 1818, Namenszug „FR" (2 Prägevarianten) | * |
| 84 | Silberne Medaille | 750,– |
| 85 | Goldene Medaille, 2. Modell<br>1818 – 1825, Kopf von Wilhelm,<br>RS „Furchtlos und treu" | * |
| 86 | Silberne Medaille | 750,– |
| 87 | Goldene Medaille, 3. Modell<br>1825 – 1840, Kopf von Wilhelm mit Backenbart,<br>RS „Dem Verdienste" | 2 500,– |
| 88 | Silberne Medaille | 600,– |
| 89 | Goldene Medaille, 4. Modell<br>1840 – 1864, bartloser Kopf von Wilhelm | 2 000,– |
| 90 | Silberne Medaille | 300,– |

| | | |
|---|---|---|
| 91 | Goldene Medaille, 5. Modell<br>1864 – 1891, Kopf von König Karl | 800,– |
| 92 | Silberne Medaille | 75,– |
| 93 | Goldene Medaille, 6. Modell<br>1892 – 1918, Kopf von König Wilhelm II. | 450,– |
| 94 | Silberne Medaille | 40,– |
| 95 | Charlottenkreuz | 60,– |
| 96 | Goldene Erinnerungsmedaille<br>zum 25-jährigen Regierungsjubiläum 1889 | 800,– |
| 97 | Silberne Medaille | 90,– |
| 98 | Bronzene Medaille | 70,– |
| 99 | Silberne Hochzeitsmedaille 1911 | 125,– |
| 100 | Goldene Lebensrettungsmedaille | * |
| 101 | Silberne Lebensrettungsmedaille | 300,– |
| 102 | Silberne Karl-Olga-Medaille<br>„Ora et labora" | 220,– |
| 103 | Silberne Karl-Olga-Medaille für Verdienste<br>um das Rote Kreuz | 125,– |
| 104 | Bronzene Karl-Olga-Medaille für Verdienste | 100,– |
| 105 | Anerkennungsmedaille der König-Karl-<br>Jubiläums-Stiftung, 1. Modell<br>Kopf König Wilhelm | 100,– |
| 106 | 2. Modell Kopf König Karl | 90,– |

Medaillen für Kunst und Wissenschaft

| | | |
|---|---|---|
| 107 | Große Goldene Medaille, 1. Modell 1824 –1840,<br>Kopf von Friedrich Wilhelm mit Backenbart | * |
| 108 | Kleine Goldene Medaille | * |
| 109 | Große Goldene Medaille, 2. Modell 1840 – 1892,<br>bartloser Kopf von Friedrich Wilhelm | * |
| 110 | Kleine Goldene Medaille | * |

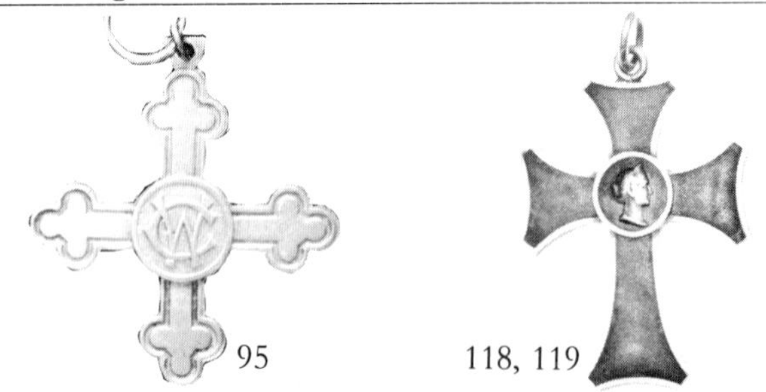

95 118, 119

| | | |
|---|---|---|
| 111 | Große Goldene Medaille, 3. Modell 1865 – 1892, Kopf von König Karl | * |
| 112 | Kleine Goldene Medaille | 2 000,– |
| 113 | Große Goldene Medaille, 4. Modell 1892 – 1918, Kopf von König Wilhelm II. | 3 500,– |
| 114 | Kleine Goldene Medaille | 1 800,– |
| 115 | Jubiläums-Ehrenzeichen für Hofbedienstete nach 50 Jahren | 300,– |
| 116 | Feuerwehr-Dienstehrenzeichen, 1. Modell ovales Ehrenzeichen | 65,– |
| 117 | 2. Modell (Bronzemedaille) | 40,– |
| 118 | Goldenes Ehrenzeichen für weibliche Dienstboten | 500,– |
| 119 | Silbernes Ehrenzeichen | 355,– |

Militärische Ehrenzeichen

| | | |
|---|---|---|
| | Militär-Verdienst-Medaillen: | |
| 120 | Goldene Medaille, 1. Modell 1800 – 1806, mit Name „Ludwig Eugen" | * |
| 121 | Silberne Medaille | * |
| 122 | Goldene Medaille, 2. Modell 1806 – 1818, mit Namenszug „FR" | * |

| | | | |
|---|---|---|---|
| 123 | Silberne Medaille | | 700,– |
| 124 | Goldene Medaille, 3. Modell<br>1818 – 1840, mit Kopf von Wilhelm mit Backenbart | | * |
| 125 | Silberne Medaille | | 500,– |
| 126 | Goldene Medaille, 4. Modell<br>1840 – 1864, mit Kopf von Wilhelm mit Schnurrbart | | * |
| 127 | Silberne Medaille | | 500,– |
| 128 | Goldene Medaille, 5. Modell<br>1864 – 1892, Kopf von König Karl | | * |
| 129 | Silberne Medaille | | 450,– |
| 130 | Goldene Medaille, 6. Modell<br>1892 – 1918, Kopf von König Wilhelm II. | G | 440,– |
| | | vg | 60,– |
| 131 | Silberne Medaille | | 25,– |
| 132 | Wilhelmskreuz mit Krone und Schwertern | | 700,– |

132 136–141

| | | |
|---|---|---|
| 133 | Wilhelmskreuz mit Schwertern | 130,– |
| 134 | Wilhelmskreuz für Kriegsverdienste | 130,– |
| 135 | Wilhelmskreuz für sonstige Verdienste<br>um die öffentliche Wohlfahrt (ohne RS-Inschrift) | 160,– |

| | | |
|---|---|---|
| 136 | Goldene Ehrenmedaille für den Sieg bei Brienne am 1.2.1814 (2 Prägevarianten) | 2 500,– |
| 137 | Silberne Ehrenmedaille für den Sieg bei Brienne am 1.2.1814 | 750,– |
| 138 | Goldene Ehrenmedaille für den Sieg bei La Fère Champenoise am 25.3.1814 (2 Prägevarianten) | 2 500,– |
| 139 | Silberne Ehrenmedaille | 800,– |
| 140 | Goldene Ehrenmedaille für die Schlacht vor Paris am 30.3.1814 (2 Prägevarianten) | 2 500,– |
| 141 | Silberne Ehrenmedaille | 850,– |
| 142 | Goldenes Ehrenkreuz für den Feldzug 1815 | * |
| 143 | Silbernes Ehrenkreuz | * |
| 144 | Silberne Ehrenmedaille | 725,– |

143

145

152

Kriegsdenkmünzen 1793 – 1815 mit gotischem Monogramm „W", Kranz oben und unten gebunden, „Für treuen Dienst.

| | | |
|---|---|---|
| 145 | in einem Feldzuge" | 95,– |
| 146 | in zwei Feldzügen" | 130,– |
| 147 | in drei Feldzügen" | 240,– |
| 148 | in vier Feldzügen" | 400,– |
| 149 | in fünf Feldzügen" | 500,– |
| 150 | in sechs Feldzügen" | 600,– |
| 151 | in sieben Feldzügen" | 750,– |
| 152 | in acht Feldzügen" | 900,– |
| 153 | in neun Feldzügen" | * |
| 154 | in zehn Feldzügen" | * |
| 155 | in elf Feldzügen" | * |
| 156 | in zwölf Feldzügen" | * |
| 157 | in dreizehn Feldzügen" | * |
| 158 | in vierzehn Feldzügen" | * |
| | Kriegsdenkmünzen 1849 mit gotischem Monogramm „W", Kranz nur unten gebunden | |
| 159 | „Für treuen Dienst in einem Feldzuge" | * |
| | Kriegsdenkmünzen 1866 Monogramm „K" | |
| 161 | „Für treuen Dienst in einem Feldzuge" | 60,– |

161, 162  165, 166

| | | |
|---|---|---|
| 162 | „Für treuen Dienst in zwei Feldzügen" | 400,– |
| 163 | Erinnerungsabzeichen an König Karl 1891 | 500,– |

| Nr. | Bezeichnung | Preis |
|---|---|---|
| 164 | Adjutantenabzeichen für das militärische Gefolge von Wilhelm II. | 500,– |
| 164/1 | Dienstehrenzeichen 1833 – 1839 | * |
| 165 | Dienstehrenzeichen 1. Klasse für Offiziere für 25 Dienstjahre (vergoldet), 1. Modell 1833 – 1850, Monogramm „W", RS sehr stark gewölbt | 290,– |
| 166 | wie vor, 2. Modell 1850 – 1864, Monogramm „W" RS schwach gewölbt | 125,– |
| 167 | wie vor, 3. Modell 1864 – 1891, Monogramm „K" | 125,– |
| 168 | wie vor, 4. Modell 1891 – 1918, Monogramm „W", RS „Für treue Dienste" | 80,– |
| 169 | Dienstehrenzeichen 2. Klasse für Unteroffiziere und Mannschaften für 20 Dienstjahre (Silber), 1. Modell wie Nr. 165 | 200,– |
| 170 | wie vor, 2. Modell wie Nr. 166 | 120,– |
| 171 | wie vor, 3. Modell wie Nr. 167 | 100,– |
| 172 | wie vor, 4. Modell wie Nr. 168 | 75,– |

167

172

| Nr. | Bezeichnung | Preis |
|---|---|---|
| 173 | Dienstalterszeichen für 30 Jahre (Schnalle, 1851 – 1870) | 300,– |

| | | |
|---|---|---|
| 174 | Dienstalterszeichen für 24 Jahre | 200,– |
| 175 | Dienstalterszeichen für 18 Jahre | 150,– |
| 176 | Dienstalterszeichen für 12 Jahre | 120,– |
| 177 | Dienstalterszeichen für 6 Jahre | 100,– |
| 178 | Militär-Dienstauszeichnung 1. Klasse, 1. Modell Schnalle mit Monogramm „KR", 1874 – 1892 | 125,– |
| 179 | wie vor, 2. Klasse | 100,– |
| 180 | wie vor, 1. Klasse, 2. Modell Schnalle mit Monogramm „WR", 1892 – 1913 | 125,– |
| 181 | wie vor, 2. Klasse | 100,– |
| 182 | wie vor, 1. Klasse, 3. Modell Kreuz | 30,– |
| 183 | wie vor, 2. Klasse Medaille | 25,– |
| 184 | wie vor, 3. Klasse Medaille | 25,– |

180, 181

| | | |
|---|---|---|
| 185 | Landwehr-Dienstauszeichnung 1. Klasse, 1. Modell Schnalle, „K" | 80,– |
| 186 | wie vor, 2. Modell Kreuz, „W" | 70,– |
| 187 | wie vor, 2. Klasse, 1. Modell Schnalle, „K" | 40,– |

| | | |
|---|---|---|
| 188 | wie vor, 2. Modell Schnalle, „W" | 35,– |
| 189 | wie vor, 3. Modell Medaille | 25,– |
| 190 | Kriegervereinsfahnenmedaille | 350,– |

188

190

# Würzburg

St. Josephsorden

| | | |
|---|---|---|
| 1 | Großkreuz | * |
| 2 | Bruststern zum Großkreuz | * |
| 3 | Komturkreuz | * |
| 4 | Ritterkreuz | * |

Militärische Ehrenzeichen

| | | |
|---|---|---|
| 5 | Goldene Tapferkeitsmedaille | * |
| 6 | Silberne Tapferkeitsmedaille | * |

# Deutsches Reich 1871 – 1918

## Zivile Ehrenzeichen

| Nr. | Bezeichnung | | Preis |
|---|---|---|---|
| 1 | Centenar-Medaille 1897 | | 10,– |

1

4

## Militärische Ehrenzeichen

| Nr. | Bezeichnung | | Preis |
|---|---|---|---|
| 3 | Kriegsdenkmünze 1870 für Kämpfer (Bronze) | | 10,– |
| 4 | Kriegsdenkmünze 1870 für Nichtkämpfer | St | 20,– |
| 5 | Gefechtsspangen dazu (25 verschiedene) | 10,– – | 40,– |
| 6 | China-Denkmünze für Kämpfer | B | 100,– |
| 7 | China-Denkmünze für Nichtkämpfer | St | 100,– |
| 8 | Gefechtsspangen dazu (13 verschiedene) | 50,– – | 350,– |
| 9 | Südwest-Afrika-Denkmünze für Kämpfer | B | 100,– |
| 10 | Südwest-Afrika-Denkmünze für Nichtkämpfer | St | 100,– |
| 11 | Gefechtsspangen dazu (16 verschiedene) | 100,– – | 500,– |
| 12 | Kolonial-Denkmünze für Weiße (35 x 32 mm) | | 140,– |
| 13 | Kolonial-Denkmünze für Farbige (31 x 28 mm) | | 500,– |
| 14 | Gefechtsspangen dazu (91 verschiedene) | 100,– – | 350,– |
| 15 | Kriegerverdienstmedaille 1. Klasse in Gold | Sv | 2 000,– |
| 16 | Kriegerverdienstmedaille 1. Klasse in Silber | | 1 200,– |
| 17 | Kriegerverdienstmedaille 2. Klasse in Gold | Sv | 200,– |

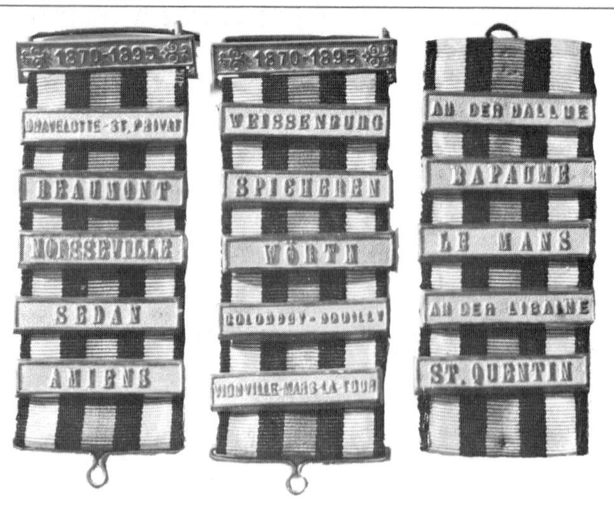
1870-1895
GRAVELOTTE-ST. PRIVAT
BEAUMONT
NOISSEVILLE
SEDAN
AMIENS
1870-1895
WEISSENBURG
SPICHEREN
WÖRTH
COLOMBEY-NOUILLY
VIONVILLE-MARS-LA-TOUR
AN DER HALLUE
BAPAUME
LE MANS
AN DER LISAINE
ST. QUENTIN

MONT-VALERIEN
METZ
STRASSBURG
PARIS
BELFORT

BEAUNE LA ROLANDE
VILLIERS
LOIGNY-POUPRY
ORLEANS
BEAUGENCY-CRAVANT

5

15, 16

17, 18

17, 18

| | | |
|---|---|---|
| 18 | Kriegerverdienstmedaille 2. Klasse in Silber | 80,– |
| | Helvetia Benigna-Medaille | |
| 19 | Großes Modell | 1 100,– |
| 20 | Kleines Modell (mit Öse) | 750,– |
| 21 | wie vor (Brosche) | 750,– |
| 23 | U-Boot-Kriegsabzeichen | 225,– |
| 24 | Marineflugzeugführer-Abzeichen (Land) | 650,– |
| 25 | wie vor (See) | 380,– |
| 26 | Marinefliegerbeobachter-Abzeichen | 380,– |
| 27 | Marinefliegerschützen-Abzeichen | 500,– |
| 28 | Erinnerungsabzeichen für Marineflugzeugführer und -beobachter | 700,– |
| 29 | Militär-Flugzeugführerabzeichen | 230,– |
| 30 | Beobachter-Abzeichen | 275,– |
| 31 | Fliegerschützen-Abzeichen | 275,– |
| 32 | Flieger-Erinnerungsabzeichen | 250,– |

33 Fliegerpokal

| | |
|---|---|
| S | 2 400,– |
| Zk | 2 000,– |
| Messing vs | 2 000,– |
| Eisen vs | 2 000,– |

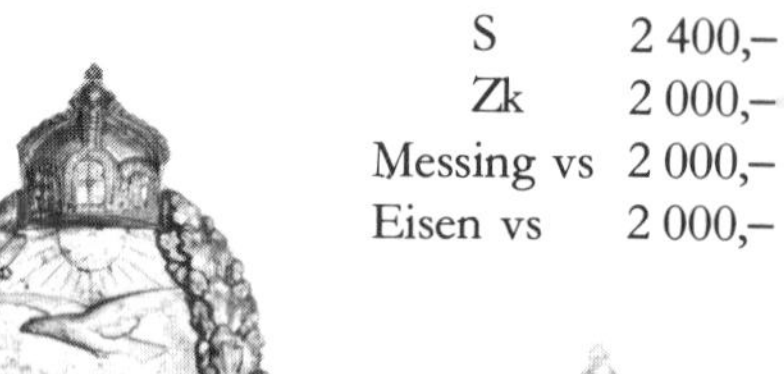

24

22

25

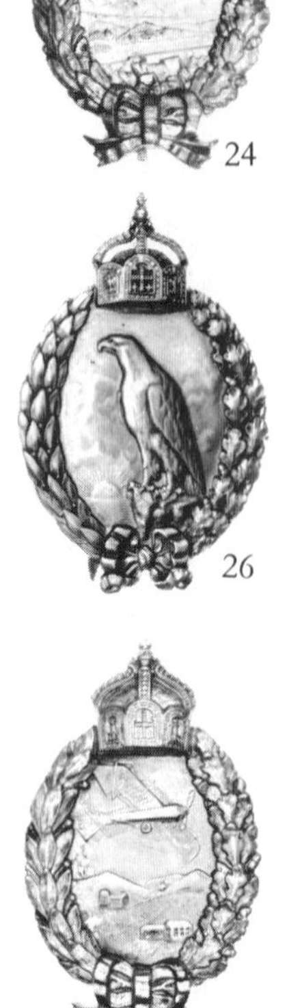

26

29

28

30

## Verwundetenabzeichen des Heeres

| | | |
|---|---|---|
| 34 | Goldstufe | 30,– |
| 35 | Silberstufe | 20,– |
| 36 | Schwarze | 15,– |

34–36

40

## Verwundetenabzeichen der Marine

| | | |
|---|---|---|
| 37 | Goldstufe | 150,– |
| 38 | Silberstufe | 125,– |
| 39 | Schwarze | 80,– |
| 40 | Verwundetenabzeichen für Militärgeistliche | 200,– |
| 41 | Silberne Medaille für Verdienst um das Militärbrieftaubenwesen (Wilhelm I.) | 300,– |

41, 42, 44–46

41, 42

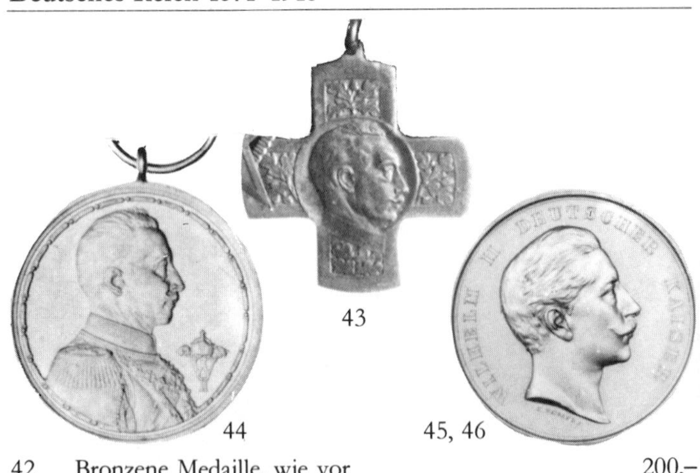

43

44

45, 46

| | | |
|---|---|---|
| 42 | Bronzene Medaille, wie vor | 200,– |
| 43 | Kreuz für Verdienste um das Militärbrieftaubenwesen (Wilhelm II.) | 2 000,– |
| 44 | Goldene Medaille, wie vor | 3 000,– |
| 45 | Silberne Medaille, wie vor | 200,– |
| 46 | Bronzene Medaille, wie vor | 120,– |
| 47 | Eiserne Medaille, wie vor (nicht tragbar) | 100,– |
| 48 | Silberne Medaille für Verdienste um das Marinebrieftaubenwesen (Wilhelm II.) | 350,– |
| 49 | Bronzene Medaille, wie vor | 300,– |

# Weimarer Republik

Staatlich anerkannte Auszeichnungen

Schlesisches Bewährungsabzeichen („Schlesischer Adler")

| | | |
|---|---|---|
| 1 | 1. Stufe mit Eichenlaub und Schwertern | 150,– |
| 2 | 1. Stufe mit Eichenlaub | 90,– |

| | | |
|---|---|---|
| 3 | 1. Stufe mit Schwertern | 90,– |
| 4 | 1. Stufe | 60,– |
| 5 | 2. Stufe mit Eichenlaub und Schwertern | 100,– |
| 6 | 2. Stufe mit Eichenlaub | 60,– |
| 7 | 2. Stufe mit Schwertern | 60,– |
| 8 | 2. Stufe | 40,– |
| 9 | Kolonialabzeichen („Elephantenorden") | 115,– |
| 9/1 | Kampfwagenabzeichen | 1 450,– |
| 10 | Erinnerungsabzeichen für Heeres-Luftschiffer | 550,– |

9 10

| | | |
|---|---|---|
| 11 | Erinnerungsabzeichen für Marine-Luftschiffer | 450,– |
| 12 | Ehrenkreuz des Weltkrieges für Frontkämpfer | 5,– |
| 13 | Ehrenkreuz des Weltkrieges für Kriegsteilnehmer | 10,– |
| 14 | Ehrenkreuz des Weltkrieges für Witwen und Eltern gefallener Kriegsteilnehmer | 15,– |
| 14/1 | Adlerschild des Reichspräsidenten | * |
| 14/2 | Ehrenmedaille des Reichspräsidenten | * |
| 14/3 | Ehrenzeichen d. Deutschen Roten Kreuzes 1. Klasse | 800,– |
| 14/4 | Deutsches Turn- und Sportabzeichen 2. Klasse | 120,– |

| | | | |
|---|---|---|---|
| 14/5 | Reichssportabzeichen | | 40,– |
| 14/6 | Rettungsmedaille (nicht ländergebunden) | | * |
| 14/7 | Ifflandring | | * |

Ehrenzeichen der Länder

Anhalt

| | | | |
|---|---|---|---|
| 15 | Rettungsmedaille | | 300,– |
| 15/1 | Erinnerungsmedaille von 1925 (nicht tragbar) | | * |
| 16 | Arbeitsdienst-Erinnerungsabzeichen 1932 Goldstufe | | * |
| 17 | wie vor, Silberstufe | | * |
| 18 | wie vor, Bronzestufe | | * |
| 19 | wie vor, ohne Jahreszahl, Goldstufe | | * |
| 20 | wie vor, Silberstufe | | * |
| 21 | wie vor, Bronzestufe | | * |

Baden

| | | | |
|---|---|---|---|
| 21/1 | Staatsmedaille in Gold | Sv | * |
| 21/2 | Staatsmedaille in Silber | | * |
| 22 | Rettungsmedaille | | 350,– |
| 23 | Ehrenzeichen für Dienstleistung bei der freiwilligen Feuerwehr, nach 40 Dienstjahren, 1920 – 1934 | | 120,– |
| 24 | wie vor, nach 25 Dienstjahren, 1920 – 1934 | | 80,– |
| 25 | wie vor, nach 25 Dienstjahren (Schnalle mit Hakenkreuz und Landeswappen) | | 200,– |
| 25/1 | Kreuz für weibliche Dienstboten | | 350,– |
| 25/2 | Staatsmedaille | | * |

Baltischer Nationalausschuß

| | | | |
|---|---|---|---|
| 26 | Baltenkreuz mit Nadel | | 120,– |
| 27 | Baltenkreuz am Band | | 80,– |

Bayern

| | | | |
|---|---|---|---|
| 28 | Rettungsmedaille | | * |
| 29 | Feuerwehrehrenzeichen für hervorragende Leistungen, 1. Modell Gußeisen | | 30,– |
| 30 | 2. Modell Bronzeguß | | 30,– |
| 31 | 3. Modell Bronze geprägt | | 30,– |
| 32 | Ehrenzeichen für Feuerwehr-Verdienste | | 50,– |
| 32/1 | Ehrenbrosche d. Bayer. Roten Kreuzes | | 100,– |

Bremen

| | | | |
|---|---|---|---|
| 33 | Eiserner Roland | | 150,– |

Hamburg

| | | | |
|---|---|---|---|
| 34 | Rettungsmedaille am Band 1918 – 1934 | S | 150,– |
| 35 | Stoltenmedaille | | 250,– |

Hessen

| | | | |
|---|---|---|---|
| 36 | Ehrenzeichen für 40-jährige treue Dienste der Feuerwehr | | 120,– |
| 37 | Feuerwehrehrenkreuz 1935 – 1938 | | 120,– |
| 37/1 | Rettungsmedaille 1927 – 1934 | | * |

Lippe

| | | | |
|---|---|---|---|
| 37/2 | Rettungsmedaille 1932 – 1934 | | 200,– |
| 37/3 | Feuerwehr-Ehrenzeichen | | 150,– |

Mecklenburg-Schwerin

| | | | |
|---|---|---|---|
| 38 | Silberne Rettungsmedaille | | 350,– |

Mecklenburg-Strelitz

| | | | |
|---|---|---|---|
| 39 | Rettungsmedaille 1922 – 1934 | B | 560,– |
| 39/1 | Große goldene Medaille für KuW, 1928 | | 2 000,– |
| 39/2 | Silberne Medaille für KuW, 1928 | | 1 200,– |

Oldenburg

| | | | |
|---|---|---|---|
| 40 | Medaille für Verdienste um das Feuerlöschwesen, 1928 – 1934, Goldbronze | | 330,– |
| 40/1 | Rettungsmedaille, 1927 – 1934 | S | 450,– |

Preußen

| | | | |
|---|---|---|---|
| 41 | Feuerwehr-Erinnerungszeichen (runde Plakette)1926 | | 70,– |
| 42 | Feuerwehr-Ehrenzeichen (ovale Silberplakette) 1934 | | 150,– |
| 43 | Grubenwehr-Erinnerungszeichen 1934 | | 3 000,– |
| 43/1 | Große Staatsmedaille | | * |
| 43/2 | Ehrenzeichen für Verdienste um die Einwohnerwehren | | 350,– |
| 43/3 | Rettungsmedaille | | 100,– |

Sachsen

| | | | |
|---|---|---|---|
| 43/4 | Auszeichnung für Verdienste um das Sächs. Rote Kreuz | | 400,– |

Schaumburg-Lippe

| | | | |
|---|---|---|---|
| 43/5 | Rettungsmedaille | | 1 000,– |

Thüringen

| | | | |
|---|---|---|---|
| 44 | Rettungsmedaille, 1926 – 1934 | S | 1 000,– |

Württemberg

| | | | |
|---|---|---|---|
| 44/1 | Goldene Rettungsmedaille 1924 – 1934 | | 800,– |
| 44/2 | Silberne Rettungsmedaille 1924 – 1934 | | 250,– |
| 45 | Feuerwehrehrenzeichen 1920 – 1934 | | 100,– |

## Nichtoffizielle Stiftungen der ehemals regierenden Häuser

### Bayern

| Nr. | Bezeichnung | | Preis |
|---|---|---|---|
| 46 | Kronprinz Rupprecht-Medaille in Gold | G | * |
| | | Sv | 500,– |
| 47 | wie vor, in Silber | | 200,– |
| 48 | wie vor, in Bronze | | 140,– |
| 49 | Erinnerungszeichen an den 60. Geburtstag von Kronprinz Rupprecht 1929 | | 200,– |
| 50 | Pfalzmedaille 1930 | | 350,– |
| 51 | Jubiläumsmedaille 2. IR Kronprinz 1932 | | 120,– |
| 52 | wie vor, 10. IR König | | 120,– |
| 53 | wie vor, 1. Chevaulegers-Rgt. | | 120,– |
| 54 | wie vor, 2. Chevaulegers-Taxis | | 120,– |

### Hessen-Darmstadt

| Nr. | Bezeichnung | | Preis |
|---|---|---|---|
| 55 | Erinnerungsmedaille für das Österreichische IR 14 1933 | | 150,– |

### Preußen

| Nr. | Bezeichnung | | Preis |
|---|---|---|---|
| 56 | Erinnerungszeichen zum 70. Geburtstag Wilhelms II. | | 300,– |
| 57 | Treudienstmedaille zum 75. Geburtstag Wilhelms II. | | 350,– |
| 58 | Erinnerungszeichen zum 80. Geburtstag Wilhelms II. | | 400,– |

### Sachsen-Coburg-Gotha

| Nr. | Bezeichnung | | Preis |
|---|---|---|---|
| 59 | Silberne Medaille zur Erinnerung an die Regierungsübernahme durch Carl Eduard 1905 – 1930 | | 200,– |
| 60 | Medaille zur Erinnerung an die Hochzeit der Prinzessin Sybilla 1932 | | 120,– |

# Freicorps-Auszeichng. und Abzeichen

Freicorps-Auszeichnungen und Abzeichen

Der Umfang dieser Gruppe wird insgesamt auf über 1000 verschiedene Stücke geschätzt. Der Verfasser beschränkt sich auf eine kleine Auswahl der häufigsten Stücke.

| | | |
|---|---|---|
| 61 | Deutschordensschild Grenzsschutz Ost | 120,– |
| 62 | Bewährungsabzeichen des V. Armeekorps | 150,– |
| 63 | Bug-Stern | 200,– |
| 64 | Abzeichen Marinebrigade Ehrhardt | 120,– |
| 65 | wie vor, Wilhelmshaven | 120,– |
| 66 | Ehrenzeichen der Marinebrigade Ehrhardt | 350,– |
| 67 | Loewenfeldkreuz | 180,– |
| 68 | Annaberg-Kreuz | 300,– |
| 69 | Abzeichen Freicorps Reinhardt | 120,– |
| 70 | Medaille Soldaten-Siedlungsverband Kurland | 130,– |
| 71 | Falkenknopf der Einwohnerwehren | 120,– |
| 72 | Abzeichen Schlesienschild des Selbstschutzes 1919 | 140,– |
| 73 | Abzeichen Berliner Schützen-Bürgerwehr | 170,– |

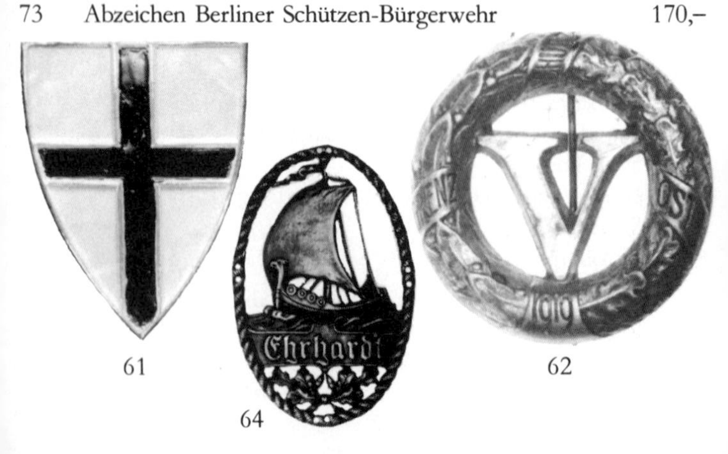


61 64 62

63 67 68 69 70 72 73

| | | |
|---|---|---|
| 74 | Abzeichen Hamburger Einwohnerwehr | 170,– |
| 75 | Abzeichen Einwohnerwehr München | 80,– |
| 76 | Schlageterschild, groß, oval | 250,– |
| | klein, rund | 150,– |

74

76

# Ehrenzeichen des Stahlhelmbundes

## Ehrenzeichen des Stahlhelmbundes

| | | |
|---|---|---|
| 76/1 | Eintrittsabzeichen für Gründungsmitglieder 1918 | * |
| 77 | Eintrittsabzeichen 1919 | 450,– |
| 78 | Eintrittsabzeichen 1920 | 300,– |
| 79 | Eintrittsabzeichen 1921 | 180,– |
| 80 | Eintrittsabzeichen 1922 | 180,– |
| 81 | Eintrittsabzeichen 1923 | 160,– |
| 82 | Eintrittsabzeichen 1924 | 130,– |
| 83 | Eintrittsabzeichen 1925 | 110,– |
| 84 | Eintrittsabzeichen 1926 | 100,– |
| 85 | Eintrittsabzeichen 1927 | 90,– |
| 86 | Eintrittsabzeichen 1928 | 90,– |
| 87 | Eintrittsabzeichen 1929 | 90,– |
| 88 | Eintrittsabzeichen 1930 | 90,– |

| Nr. | Bezeichnung | Preis |
|---|---|---|
| 89 | Eintrittsabzeichen 1931 | 90,– |
| 90 | Eintrittsabzeichen 1932 | 90,– |
| 91 | Stahlhelm-Bundesstern | * |
| 92 | Wehrsportkreuz | 400,– |
| 93 | Wehrsportabzeichen | 90,– |

# Freistaat Danzig

| Nr. | Bezeichnung | Preis |
|---|---|---|
| 94 | Danzigkreuz 1. Klasse (Steckkreuz) | 1 500,– |
| 95 | Danzigkreuz 2. Klasse (am Band) | 900,– |
| 96 | Rettungsmedaille | 550,– |
| 97 | Erinnerungsabzeichen für Feuerwehrverdienste | 200,– |
| 98 | Feuerwehr-Ehrenzeichen 1. Stufe | 600,– |
| 99 | wie vor, 2. Stufe | 500,– |
| 100 | Treudienstehrenzeichen für 50 Jahre, vergoldet | 900,– |
| 101 | wie vor, für 25 Jahre, versilbert | 600,– |
| 102 | wie vor, Sonderstufe, vergoldet und versilbert | 750,– |

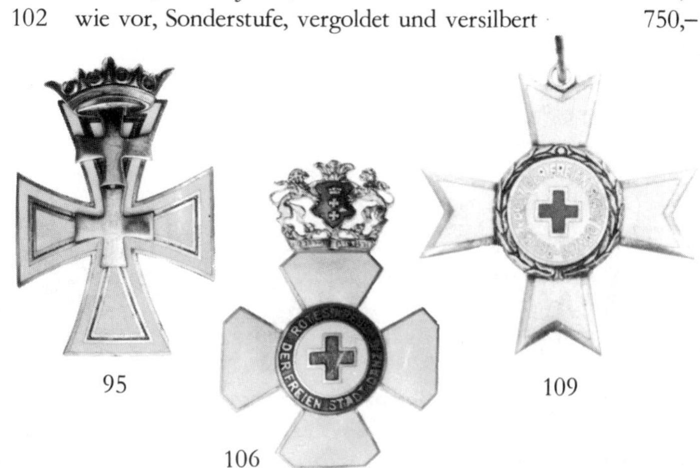

95

106

109

| | | |
|---|---|---|
| 103 | Polizei-Dienstauszeichnung für 25 Jahre | 900,– |
| 104 | wie vor, für 18 Jahre | 600,– |
| 105 | wie vor, für 8 Jahre | 400,– |
| 106 | Rote-Kreuz-Ehrenzeichen 1. Modell ohne Hakenkreuz | 900,– |
| 107 | wie vor, 2. Modell mit Hakenkreuz | 1 100,– |
| 108 | Rote-Kreuz-Verdienstkreuz 1. Klasse (Steckkreuz) | 1 000,– |
| 109 | wie vor, 2. Klasse (am Band) | 300,– |

# Deutsches Reich 1933-1945

## Verdienstorden vom Deutschen Adler

| | | |
|---|---|---|
| 1 | Sonderstufe des Großkreuzes in Gold | * |
| 2 | Bruststern zur Sonderstufe des Großkreuzes | * |
| 3 | Großkreuz | 3 000,– |
| 4 | Großkreuz mit Schwertern | 3 200,– |
| 5 | Bruststern zum Großkreuz | 3 000,– |

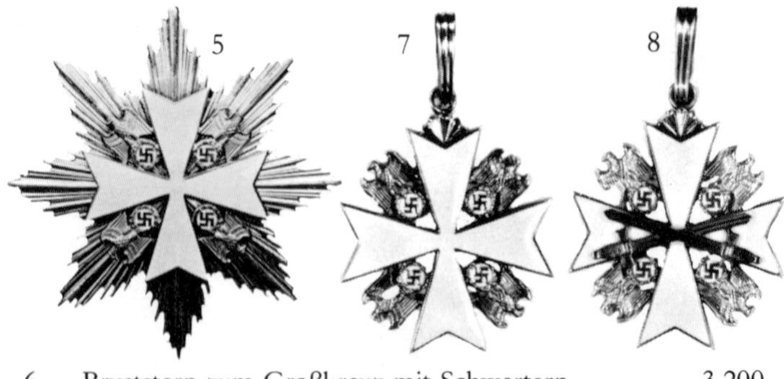


| | | |
|---|---|---|
| 6 | Bruststern zum Großkreuz mit Schwertern | 3 200,– |
| 6/1 | Verdienstkreuz 1. Stufe 1943 – 1945 (Schärpe) | 2 200,– |
| 7 | Verdienstkreuz 1. Stufe (Halskreuz) | 1 600,– |

| Nr. | Bezeichnung | Preis |
|---|---|---|
| 8 | Verdienstkreuz 1. Stufe mit Schwertern | 1 800,– |
| 9 | Bruststern zur 1. Stufe | 2 000,– |
| 10 | Bruststern zur 1. Stufe mit Schwertern | 2 200,– |
| 11 | Verdienstkreuz 2. Stufe (Steckkreuz) | 1 500,– |
| 12 | Verdienstkreuz 2. Stufe mit Schwertern | 1 300,– |
| 13 | Verdienstkreuz 3. Stufe (Ritterkreuz) | 750,– |
| 14 | Verdienstkreuz 3. Stufe mit Schwertern | 1 000,– |
| 15 | Silberne Verdienstmedaille | 250,– |
| 16 | Silberne Verdienstmedaille mit Schwertern | 350,– |
| 17 | Bronzene Verdienstmedaille | 375,– |
| 18 | Bronzene Verdienstmedaille mit Schwertern | 375,– |

## Deutscher Nationalpreis für Kunst und Wissenschaft

| Nr. | Bezeichnung | Preis |
|---|---|---|
| 19 | Schärpen mit Rosette | * |
| 20 | Bruststern | * |

20

23

33, 34

## Deutscher Orden des Großdeutschen Reiches

| | | |
|---|---|---|
| 21 | Halskreuz mit Schwertern | 4 000,– |
| 22 | Halskreuz | 3 000,– |
| 23 | Steckkreuz | 2 500,– |

## Zivile Ehrenzeichen

| | | |
|---|---|---|
| 24 | Rettungsmedaille am Band | 250,– |
| 25 | Erinnerungsmedaille für Rettung aus Gefahr | 380,– |
| 26 | Goldenes Mutterkreuz 1. Modell („Das Kind adelt die Mutter") | 1 100,– |
| 27 | Silbernes Mutterkreuz | 400,– |
| 28 | Bronzenes Mutterkreuz | 350,– |
| 29 | Goldenes Mutterkreuz 2. Modell | 50,– |
| 30 | Silbernes Mutterkreuz („16. Dezember 1938") | 35,– |
| 31 | Bronzenes Mutterkreuz | 25,– |
| 32 | Medaille zur Erinnerung an den 13. März 1938 | 55,– |
| 33 | Medaille zur Erinnerung an den 1. Oktober 1938 | 40,– |
| 34 | Spange „Prager Burg" | 50,– |
| 35 | Medaille zur Erinnerung an die Heimkehr des Memellandes | 180,– |
| 36 | Schutzwall-Ehrenzeichen | 25,– |
| 37 | Spange zum Schutzwall-Ehrenzeichen | * |
| 38 | Reichsfeuerwehr-Ehrenzeichen 1. Klasse (Steckkreuz) | 520,– |
| 39 | wie vor, 2. Stufe (am Band) | 150,– |
| 40 | Feuerwehr-Ehrenzeichen 1. Stufe | 300,– |
| 41 | wie vor, 2. Stufe mit Eichenlaub und „40" | 2 000,– |
| 43 | Reichsgrubenwehr-Ehrenzeichen (Steckabzeichen) | 3 000,– |
| 44 | Grubenwehr-Ehrenzeichen (am Band) | 320,– |
| 45 | Luftschutz-Ehrenzeichen 1. Stufe | 420,– |

46 wie vor, 2. Stufe 40,–

47 Treudienst-Ehrenzeichen Sonderstufe
für 50 Jahre 350,–

48 wie vor, 1. Stufe für 40 Jahre 40,–

49 wie vor, 1. Stufe mit Eichenlaub *

50 wie vor, 2. Stufe für 25 Jahre 25,–

51 Polizei-Dienstauszeichnung 1. Stufe
mit Eichenlaub für 40 Jahre 400,–

52 Polizei-Dienstauszeichnung 1. Stufe für 25 Jahre 100,–

53 Polizei-Dienstauszeichnung 2. Stufe
für 18 Jahre 90,–

54 Polizei-Dienstauszeichnung 3. Stufe
für 8 Jahre 60,–

47 52 56–59

| | | |
|---|---|---|
| 55 | Zollgrenzschutz-Ehrenzeichen | 145,– |
| 56 | Dienstauszeichnung für den männlichen Reichsarbeitsdienst, 1. Stufe | 350,– |
| 57 | wie vor, 2. Stufe | 200,– |
| 58 | wie vor, 3. Stufe | 160,– |
| 59 | wie vor, 4. Stufe | 90,– |
| 60 | wie vor, für den weiblichen Reichsarbeitsdienst 1. Stufe | 400,– |
| 61 | wie vor, 2. Stufe | 300,– |
| 62 | wie vor, 3. Stufe | 350,– |
| 63 | wie vor, 4. Stufe | 200,– |
| 64 | Dienstnadel für Eisenbahnerinnen, Goldstufe | 480,– |
| 65 | wie vor, Silberstufe | 350,– |
| 66 | wie vor, Bronzestufe | 275,– |
| 67 | Hindenburgkette des deutschen Handwerks | * |

## Ehrenzeichen für das Rote Kreuz

### Ehrenzeichen des Deutschen Roten Kreuzes

### 2. Modell 1934 – 1937

| | | |
|---|---|---|
| 68 | Bruststern | * |
| 69 | 1. Klasse (Halskreuz) | 750,– |
| 70 | Verdienstkreuz (Steckkreuz) | 325,– |

| | | |
|---|---|---|
| 71 | Ehrenzeichen (am Band) | 150,– |
| 72 | Damenkreuz des Ehrenzeichens | 150,– |

3. Modell 1937 – 1939

| | | |
|---|---|---|
| 73 | Großkreuz | * |
| 74 | Bruststern zum Großkreuz | * |
| 75 | 1. Klasse mit Brillanten | * |
| 76 | 1. Klasse (Halskreuz) | 830,– |

74 76 88, 89

| | | |
|---|---|---|
| 77 | Verdienstkreuz (Steckkreuz) | 370,– |
| 78 | 2. Klasse (am Band) | 275,– |
| 79 | Frauenkreuz des Ehrenzeichens | 275,– |
| 80 | Medaille des DRK | 145,– |

Ehrenzeichen für Deutsche Volkspflege (1939 – 1945)

| | | |
|---|---|---|
| 81 | Sonderstufe (Halskreuz) | * |
| 82 | Bruststern zur Sonderstufe | * |
| 83 | 1. Stufe mit Brillanten | * |
| 84 | 1. Stufe (Halskreuz) | 1 050,– |
| 85 | 2. Stufe (Steckkreuz) | 350,– |
| 86 | 3. Stufe | 225,– |
| 87 | 3. Stufe mit Schwertern auf dem Band | 250,– |
| 88 | Medaille | 50,– |

| Nr. | Bezeichnung | Preis |
|---|---|---|
| 89 | Medaille mit Schwertern auf dem Band | 60,– |
| 90 | DRK-Schwesternkreuz für Generaloberin | * |
| 91 | wie vor, für Oberin | 450,– |
| 92 | wie vor, für 25 Dienstjahre als Schwester | 320,– |
| 93 | wie vor, für 10 Dienstjahre als Schwester | 275,– |
| 94 | Verdienstabzeichen der NS-Schwesternschaft | 150,– |

Sportehrenzeichen

| Nr. | Bezeichnung | Preis |
|---|---|---|
| 95 | Olympia-Ehrenzeichen 1. Klasse (Halskreuz) | 1 375,– |
| 96 | Olympia-Ehrenzeichen 2. Klasse (am Band) | 540,– |
| 97 | Olympia-Erinnerungsmedaille | 110,– |
| 98 | Reichssportabzeichen 1. Modell (ohne Hakenkreuz) Goldstufe | 50,– |
| 99 | wie vor, Silberstufe | 35,– |
| 100 | wie vor, Bronzestufe | 20,– |
| 101 | wie vor, 2. Modell Goldstufe | 65,– |
| 102 | wie vor, Silberstufe | 45,– |
| 103 | wie vor, Bronzestufe | 25,– |
| 104 | Versehrtensportabzeichen | 275,– |

96

| Nr. | Bezeichnung | Preis |
|---|---|---|
| 105 | Reichsjugendsportabzeichen 2. Modell (mit Hakenkreuz) | 45,– |
| 106 | Deutsches Reiterabzeichen, Goldstufe | 200,– |
| 107 | wie vor, Silberstufe | 150,– |
| 108 | wie vor, Bronzestufe | 100,– |
| 109 | Deutsches Jugend-Reiterabzeichen | 310,– |
| 110 | Deutsches Fahrerabzeichen, Goldstufe | 220,– |
| 111 | wie vor, Silberstufe | 170,– |
| 112 | wie vor, Bronzestufe | 130,– |
| 113 | Deutsches Reiter- und Fahrerabzeichen | 750,– |
| 114 | Deutsches Reiterführerabzeichen | 1 000,– |

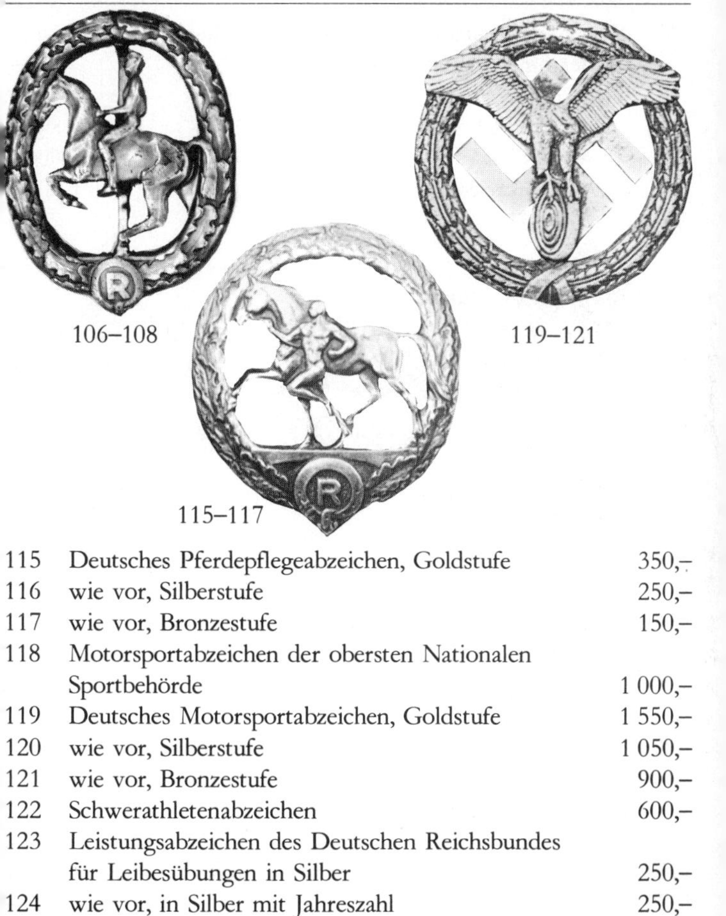
106–108

119–121

115–117

| | | |
|---|---|---|
| 115 | Deutsches Pferdepflegeabzeichen, Goldstufe | 350,– |
| 116 | wie vor, Silberstufe | 250,– |
| 117 | wie vor, Bronzestufe | 150,– |
| 118 | Motorsportabzeichen der obersten Nationalen Sportbehörde | 1 000,– |
| 119 | Deutsches Motorsportabzeichen, Goldstufe | 1 550,– |
| 120 | wie vor, Silberstufe | 1 050,– |
| 121 | wie vor, Bronzestufe | 900,– |
| 122 | Schwerathletenabzeichen | 600,– |
| 123 | Leistungsabzeichen des Deutschen Reichsbundes für Leibesübungen in Silber | 250,– |
| 124 | wie vor, in Silber mit Jahreszahl | 250,– |
| 125 | wie vor, in Bronze | 125,– |
| 126 | wie vor, in Bronze mit Jahreszahl | 155,– |

127 Meisterschaftsabzeichen des Deutschen Reichsbundes für Leibesübungen 350,–

128 Olympia-Siegernadel des Deutschen Reichsbundes für Leibesübungen, Goldstufe 800,–

129 wie vor, Silberstufe 600,–

130 wie vor, Bronzestufe 400,–

131 SA-Wehrabzeichen, Goldstufe 275,–

131–133

141

147

132 wie vor, Silberstufe 115,–

133 wie vor, Bronzestufe 35,–

134 wie vor, für Kriegsversehrte 530,–

135 HJ-Ehrennadel der Reichssieger, Goldstufe *

136 wie vor, Silberstufe *

137 wie vor, Bronzestufe *

138 HJ-Ehrennadel des Deutschen Jugendmeisters, Goldstufe *

139 wie vor, Silberstufe *

140 wie vor, Bronzestufe *

141 HJ-Leistungs- und Sportabzeichen 3. Stufe in Silber 75,–

142 wie vor, 2. Stufe in Bronze 85,–

143 wie vor, 1. Stufe in Eisen 65,–

144 HJ-Schießauszeichnung 65,–

| | | |
|---|---|---|
| 145 | wie vor, für Scharfschützen | 150,– |
| 146 | wie vor, für Meisterschützen | 375,– |
| 147 | Goldenes Führersportabzeichen der HJ | 725,– |
| 148 | HJ-Skiführerabzeichen | * |
| 149 | Leistungsabzeichen des Deutschen Jungvolkes | 65,– |
| 150 | Schießauszeichnung des Deutschen Jungvolkes | 75,– |
| 151 | BDM-Leistungsabzeichen, Silberstufe | 225,– |
| 152 | wie vor, Bronzestufe | 145,– |
| 153 | Jungmädel-Leistungsabzeichen | 160,– |
| 154 | Germanische Leistungsrune, Silberstufe | 2 000,– |
| 155 | wie vor, Bronzestufe | 1 500,– |
| 156 | Gendarmerie-Hochalpinistenabzeichen | * |
| 157 | Gendarmerie-Alpinistenabzeichen | * |
| 158 | Polizei-Skiführerabzeichen | * |
| 159 | Polizei-Bergführerabzeichen | * |

Luftfahrtabzeichen

| | | |
|---|---|---|
| 160 | DLV-Pilotenabzeichen | 175,– |
| 161 | DLV-Bordfunkerabzeichen | 200,– |
| 162 | DLV-Ballonführerabzeichen 1. Modell (gestickt) | 375,– |
| 163 | wie vor, 2. Modell | 1 400,– |
| 164 | SA-SS-Fliegerspange | * |
| 165 | SA-Fliegerspange | * |
| 166 | SA-Flugzeugorterabzeichen | * |
| 167 | NSFK-Motorflugzeug-Führerabzeichen 1. Modell | 1 200,– |
| 168 | wie vor, 2. Modell | 1 000,– |
| 169 | wie vor, 3. Modell | 950,– |
| 170 | NSFK-Bordfunkerabzeichen | 200,– |
| 171 | NSFK-Freiballon-Führerabzeichen 1. Modell | 300,– |
| 172 | wie vor, 2. Modell | 1 500,– |
| 173 | NSFK-Großes Segelfliegerabzeichen | 1 050,– |

| | | |
|---|---|---|
| 174 | Segelfliegerabzeichen A-Stufe | 50,– |
| 175 | wie vor, B-Stufe | 60,– |
| 176 | wie vor, C-Stufe | 70,– |
| 177 | NSFK-Modellflugleistungsabzeichen A-Stufe | 100,– |
| 178 | wie vor, B-Stufe | 120,– |
| 179 | wie vor, C-Stufe | 150,– |
| 180 | NSFK-Abzeichen für fördernde Mitglieder | 35,– |
| 181 | Zivilbeobachterspange (Silber, ohne Email) | * |
| 182 | Akademie der Luftfahrtforschung, Amtskette des Präsidenten | * |
| 183 | Präsidiums- und Ehrenmitgliedsabzeichen, vergoldet | * |
| 184 | Abzeichen für fördernde Mitglieder, versilbert | * |
| 185 | Abzeichen für korrespondierende Mitglieder, Bronze | * |
| 186 | Treueabzeichen der Luftfahrtindustrie | 200,– |

Auszeichnungen der NSDAP und ihrer Organisationen

| | | |
|---|---|---|
| 187 | Ehrenzeichen vom 9. November 1923 | |
| | („Blutorden") 1. Typ mit Signatur Fuess | 1 750,– |
| | 2. Typ ohne Signatur | 1 500,– |

| | | |
|---|---|---|
| 188 | Goldenes Parteiehrenzeichen groß | 450,– |
| | klein | 280,– |
| 189 | Parteiabzeichen | 35,– |
| 190 | Parteiabzeichen in Gold für Ausländer | * |
| 191 | Frontbannabzeichen | 500,– |
| 192 | Gau München Erinnerungsabzeichen 9. November 1923 | 170,– |
| 193 | Coburger Abzeichen | 1 000,– |
| 194 | Nürnberger Parteitagsabzeichen 1929 | 250,– |
| 195 | Abzeichen des SA-Treffens Braunschweig 1931, 1. Modell | 265,– |
| 196 | wie vor, 2. Modell | 125,– |
| 197 | Ehrennadel der SS-Heimwehr, Danzig | 1 100,– |

Traditions- und Gauabzeichen

| | | |
|---|---|---|
| 198 | Sachsen, Bayerische Ostmark, Franken, Halle-Merseburg, Hessen-Nassau, Magdeburg-Anhalt, Mecklenburg und Lübeck für Mitgliedschaft seit 1923 | 1 150,– |
| 199 | wie vor, für Mitgliedschaft seit 1925 | 950,– |
| 200 | Berlin, Goldstufe | 1 500,– |
| 201 | wie vor, Silberstufe | 1 300,– |
| 202 | Essen, Goldstufe | 230,– |
| 203 | wie vor, Silberstufe | 675,– |
| 204 | Ostpreußen | 1 650,– |
| 205 | Danzig-Westpreußen | 2 500,– |
| 206 | Baden, Goldstufe (oval) | 1 650,– |
| 207 | wie vor, Silberstufe | 1 050,– |
| 208 | wie vor, für Frauen (rund) | 1 550,– |
| 209 | Thüringen | 1 530,– |
| 210 | Osthannover, Goldstufe | 1 000,– |

| | | |
|---|---|---|
| 211 | wie vor, Silberstufe | 750,– |
| 212 | wie vor, Bronzestufe | 475,– |
| 213 | Wartheland | 2 200,– |
| 214 | Sudetenland | 1 900,– |

Dienstauszeichnung der NSDAP

| | | |
|---|---|---|
| 215 | 1. Stufe in Bronze | 120,– |
| 216 | 2. Stufe in Silber | 250,– |
| 217 | 3. Stufe in Gold | 1 800,– |

215 216, 217 223, 224

| | | |
|---|---|---|
| 218 | Goldenes HJ-Ehrenzeichen mit glattem, goldenem Rand | 225,– |
| 219 | wie vor, mit goldenem Eichenlaubrand | 750,– |
| 220 | Ehrenzeichen der Reichsjugendführung der HJ für verdiente Ausländer | 1 200,– |
| 221 | Potsdam-Abzeichen in Silber | 170,– |
| 222 | wie vor, in Bronze | 160,– |
| 223 | SS-Dienstauszeichnung 4. Stufe | 450,– |
| 224 | wie vor, 3. Stufe | 630,– |
| 225 | wie vor, 2. Stufe | 1 350,– |
| 226 | wie vor, 1. Stufe | 2 250,– |

| | | |
|---|---|---|
| 227 | Silbernes Ehrenzeichen des NSD-Studentenbundes | 500,– |
| 228 | Ehrenzeichen des Jungsturms Adolf Hitler | 2 000,– |
| 229 | Dr. Fritz Todt-Preis in Gold | 1 500,– |
| 230 | wie vor, in Silber | 1 100,– |
| 231 | wie vor, in Bronze | 800,– |
| 232 | Pionier der Arbeit | 2 000,– |

233

| | | |
|---|---|---|
| 233 | Wehrwirtschaftsführer | 950,– |
| 234 | Ehrenplakette für Mitglieder des Reichs-Kultur-Senats | 2 000,– |
| 235 | Siegerabzeichen im Reichsberufswettkampf für Reichssieger 1938 | 1 100,– |
| 236 | wie vor, 1939 | 1 100,– |
| 237 | wie vor, 1944 | 1 400,– |
| 238 | wie vor, Gausieger 1938 | 400,– |
| 239 | wie vor, 1939 | 400,– |
| 240 | wie vor, 1944 | 500,– |
| 241 | wie vor, Kreissieger 1938 | 200,– |
| 242 | wie vor, 1939 | 180,– |
| 243 | wie vor, 1944 | 240,– |
| 244 | Ehrenzeichen der Technischen Nothilfe mit der Jahreszahl 1919 | 650,– |
| 245 | wie vor, 1920 | 725,– |
| 246 | wie vor, 1921 | 725,– |
| 247 | wie vor, 1922 | 725,– |
| 248 | wie vor, 1923 | 650,– |

## Militärische Auszeichnungen
## Spanischer Bürgerkrieg 1936 – 1939

| | | |
|---|---|---|
| 249 | Spanienkreuz in Gold mit Brillanten | 5 000,– |
| 250 | wie vor, in Gold mit Schwertern | 800,– |
| 251 | wie vor, in Silber mit Schwertern | 650,– |
| 252 | wie vor, in Silber ohne Schwerter | 1 000,– |
| 253 | wie vor, in Bronze mit Schwertern | 500,– |
| 254 | wie vor, in Bronze ohne Schwerter | 500,– |
| 255 | Ehrenkreuz für Hinterbliebene deutscher Spanienkämpfer | 1 100,– |

250, 251, 253

258

256

| | | |
|---|---|---|
| 256 | Panzertruppenabzeichen der Legion Condor | 1 250,– |
| 256/1 | Goldenes Verwundetenabzeichen | * |
| 257 | Silbernes Verwundetenabzeichen | 230,– |
| 258 | Schwarzes Verwundetenabzeichen | 120,– |

## Allgemeine militärische Ehrenzeichen

### Eisernes Kreuz

| Nr. | Bezeichnung | Preis |
|---|---|---|
| 259 | Großkreuz | * |
| 260 | Ritterkreuz mit dem Goldenen Eichenlaub, Schwertern und Brillanten | * |
| 261 | Ritterkreuz mit dem Eichenlaub, Schwertern und Brillanten | 10 000,– |

262  268  272

| Nr. | Bezeichnung | Preis |
|---|---|---|
| 262 | Ritterkreuz mit dem Eichenlaub mit Schwertern | 6 500,– |
| 263 | Ritterkreuz mit dem Eichenlaub | 3 500,– |
| 264 | Ritterkreuz | 2 000,– |
| 265 | EK I | 80,– |
| 266 | Spange zum EK I 1914 | 90,– |
| 267 | EK II | 30,– |
| 268 | Spange zum EK II 1914 | 45,– |

### Kriegsdenkmünze

| Nr. | Bezeichnung | Preis |
|---|---|---|
| 268/1 | Kriegsdenkmünze 1939 – 1940 (3 Prägevarianten) | 2 000,– |
| 268/2 | Kriegsdenkmünze 1939 – 1941 | 2 000,– |

### Kriegsverdienstkreuz

| Nr. | Bezeichnung | Preis |
|---|---|---|
| 269 | Goldenes Ritterkreuz mit Schwertern | 4 000,– |
| 270 | Goldenes Ritterkreuz ohne Schwerter | 4 000,– |

| | | |
|---|---|---|
| 271 | Ritterkreuz mit Schwertern | 3 200,– |
| 272 | Ritterkreuz ohne Schwerter | 3 200,– |
| 273 | 1. Klasse mit Schwertern | 55,– |
| 274 | 1. Klasse ohne Schwerter | 90,– |
| 275 | 2. Klasse mit Schwertern | 15,– |
| 276 | 2. Klasse ohne Schwerter | 20,– |
| 277 | Medaille zum KVK | 20,– |

277

Deutsches Kreuz

| | | |
|---|---|---|
| 278 | Deutsches Kreuz in Gold mit Brillanten | * |
| 279 | Deutsches Kreuz in Gold | 650,– |
| 280 | Deutsches Kreuz in Silber | 1 500,– |

Ehrenblattspange

| | | |
|---|---|---|
| 281 | Ehrenblattspange des Heeres | 2 000,– |
| 282 | Ehrentafelspange des Marine | 2 000,– |

273

275

274

279, 280

281

282

| | | |
|---|---|---|
| 283 | Ehrenblattspange der Luftwaffe | 2 000,– |
| 284 | Medaille Winterschlacht im Osten 1941/42 | 30,– |

Verwundetenabzeichen

| | | |
|---|---|---|
| 285 | Goldenes Verwundetenabzeichen | 75,– |
| 286 | Silbernes Verwundetenabzeichen | 35,– |
| 287 | Schwarzes Verwundetenabzeichen | 15,– |
| 288 | Goldenes Verwundetenabzeichen 20. Juli 1944 | 3 000,– |
| 289 | Silbernes Verwundetenabzeichen 20. Juli 1944 | 2 500,– |
| 290 | Schwarzes Verwundetenabzeichen 20. Juli 1944 | 1 900,– |

Dienstauszeichnung der Wehrmacht
Heer und Marine

| | | |
|---|---|---|
| 291 | 1. Klasse mit Eichenlaub | 280,– |
| 292 | 1. Klasse | 115,– |
| 293 | 2. Klasse | 70,– |
| 294 | 3. Klasse | 50,– |
| 295 | 4. Klasse | 35,– |

291

Luftwaffe

| | | |
|---|---|---|
| 296 | 1. Klasse mit Eichenlaub | 320,– |

| | | |
|---|---|---|
| 297 | 1. Klasse | 125,– |
| 298 | 2. Klasse | 75,– |
| 299 | 3. Klasse | 50,– |
| 300 | 4. Klasse | 35,– |

292 297, 298 299, 300

## Waffenabzeichen der Wehrmacht

| | | |
|---|---|---|
| 301 | Ärmelschild Narvik in Silber | 105,– |
| 302 | Ärmelschild Narvik in Gold | 130,– |
| 303 | Ärmelschild Cholm | 550,– |
| 304 | Ärmelschild Krim | 85,– |
| 305 | Ärmelschild Demjansk | 165,– |
| 306 | Ärmelschild Kuban | 100,– |
| 307 | Ärmelschild Warschau | * |
| 308 | Ärmelschild Lappland | 1 000,– |
| 309 | Ärmelschild Lorient | 1 300,– |
| 309/1 | Ärmelband Afrika | 140,– |

301, 302

303

304

305 306 307 308 309 310

| | | |
|---|---|---|
| 309/2 | Ärmelband Kreta | 100,– |
| 309/3 | Ärmelband Kurland | * |
| 309/4 | Ärmelband Metz 1944 | * |
| 310 | Kraftfahrbewährungsabzeichen in Gold | 40,– |
| 311 | wie vor, in Silber | 25,– |
| 312 | wie vor, in Bronze | 15,– |

Kampf- und Tätigkeitsabzeichen des Heeres

| | | |
|---|---|---|
| 313 | Nahkampfspange in Gold | 650,– |
| 314 | wie vor, in Silber | 225,– |

| | | |
|---|---|---|
| 315 | wie vor, in Bronze | 135,– |
| 316 | Infanteriesturmabzeichen in Silber | 35,– |
| 317 | wie vor, in Bronze | 45,– |
| 318 | Allgemeines Sturmabzeichen mit der Einsatzzahl „100" | 1 000,– |
| 319 | wie vor, mit der Einsatzzahl „75" | 900,– |
| 320 | wie vor, mit der Einsatzzahl „50" | 800,– |
| 321 | wie vor, mit der Einsatzzahl „25" | 600,– |
| 322 | wie vor, ohne Einsatzzahl | 40,– |
| 323 | Panzerkampfabzeichen in Silber mit der Einsatzzahl „100" | 1 000,– |
| 324 | wie vor, mit der Einsatzzahl „75" | 800,– |
| 325 | wie vor, mit der Einsatzzahl „50" | 800,– |
| 326 | wie vor, mit der Einsatzzahl „25" | 510,– |

313–315

316, 317

320

326

| | | |
|---|---|---|
| 327 | wie vor, ohne Einsatzzahl | 40,– |
| 328 | wie vor, in Bronze mit der Einsatzzahl „100” | 1 500,– |
| 329 | wie vor, mit der Einsatzzahl „75” | 1 000,– |
| 330 | wie vor, mit der Einsatzzahl „50” | 1 250,– |
| 331 | wie vor, mit der Einsatzzahl „25” | 700,– |
| 332 | wie vor, ohne Einsatzzahl | 50,– |
| 333 | Heeres-Flakabzeichen | 225,– |

335

333

337

| | | |
|---|---|---|
| 334 | Panzervernichtungsabzeichen in Gold | 460,– |
| 335 | wie vor, in Silber | 190,– |
| 336 | Tieffliegervernichtungsabzeichen in Gold | * |
| 337 | wie vor, in Silber | * |
| 338 | Fallschirmschützenabzeichen des Heeres | 1 500,– |
| 339 | Ballonbeobachterabzeichen in Gold | * |
| 340 | wie vor, in Silber | * |
| 341 | wie vor, in Bronze | 500,– |

## Kampf- und Tätigkeitsabzeichen der Kriegsmarine

| | | |
|---|---|---|
| 342 | U-Boot-Frontspange in Silber | 750,– |
| 343 | U-Boot-Frontspange in Bronze | 475,– |
| 344 | U-Boot-Kriegsabzeichen mit Brillanten für den Befehlshaber der U-Boote Dönitz | * |
| 345 | U-Boot-Kriegsabzeichen mit Brillanten | 5 000,– |
| 346 | U-Boot-Kriegsabzeichen | 140,– |
| 347 | Zerstörer-Kriegsabzeichen | 150,– |
| 348 | Minensucher-Kriegsabzeichen | 75,– |

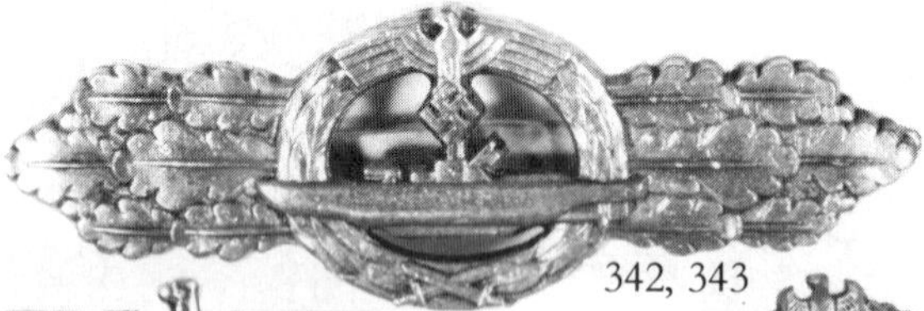

342, 343

346

347

| | | |
|---|---|---|
| 349 | Hilfskreuzer-Kriegsabzeichen mit Brillanten | 7 000,– |
| 350 | Hilfskreuzer-Kriegsabzeichen | 180,– |
| 351 | Flotten-Kriegsabzeichen | 155,– |
| 352 | Schnellboot-Kriegsabzeichen 1. Modell | 450,– |
| 353 | Schnellboot-Kriegsabzeichen 2. Modell mit Brillanten | 5 000,– |

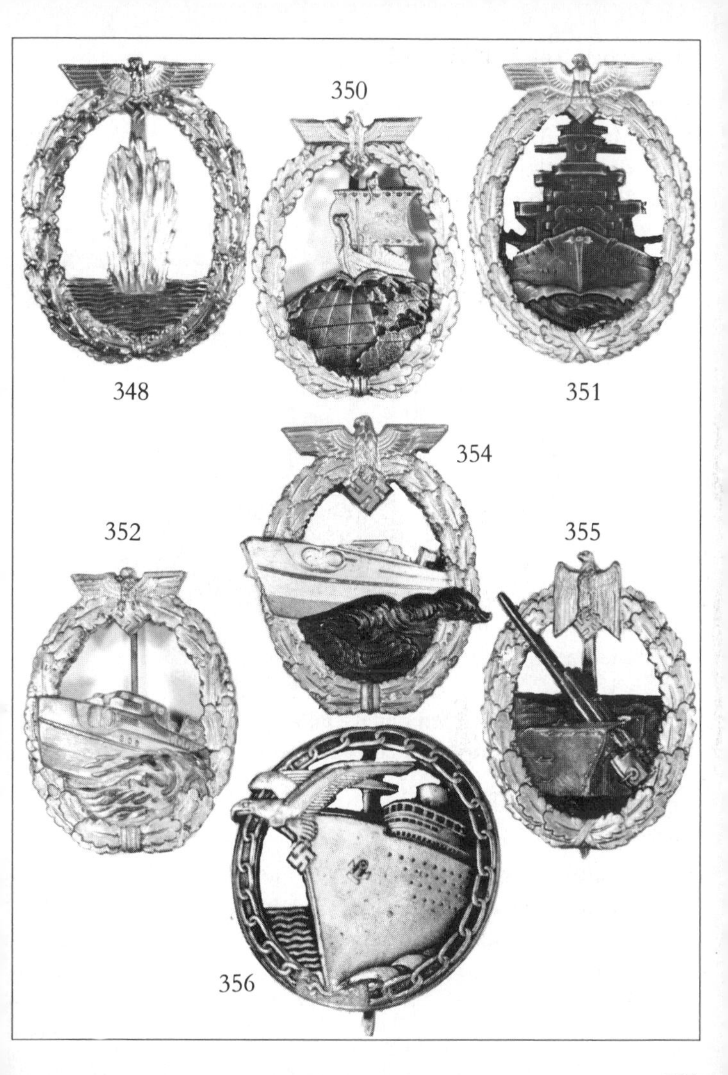
350
348
351
354
352
355
356

| | | |
|---|---|---|
| 354 | Schnellboot-Kriegsabzeichen 2. Modell | 250,– |
| 355 | Marine-Artillerie-Kriegsabzeichen | 110,– |
| 356 | Blockadebrecher-Abzeichen | 200,– |
| 357 | Marine-Frontspange | 600,– |

357

| | | |
|---|---|---|
| 358 | Kampfabzeichen der Kleinkampfmittel 1. Stufe | 175,– |
| 359 | wie vor, 2. Stufe | 220,– |
| 360 | wie vor, 3. Stufe | 275,– |
| 361 | wie vor, 4. Stufe | 300,– |
| 362 | wie vor, 5. Stufe | 400,– |
| 363 | wie vor, 6. Stufe | 500,– |
| 364 | wie vor, 7. Stufe | 600,– |
| 365 | Bewährungsabzeichen der Kleinkampfmittel | 200,– |
| 366 | Zivilabzeichen der Heimatflakartillerie | 200,– |

361

## Frontflugspangen der Luftwaffe

### Tagjäger

| | | |
|---|---|---|
| 367 | Spange in Gold mit Brillanten | * |
| 368 | Spange in Gold mit Anhänger mit Einsatzzahl | * |
| 369 | Spange in Gold mit Anhänger | 950,– |
| 370 | Spange in Gold | 450,– |
| 371 | Spange in Silber | 325,– |
| 372 | Spange in Bronze | 300,– |

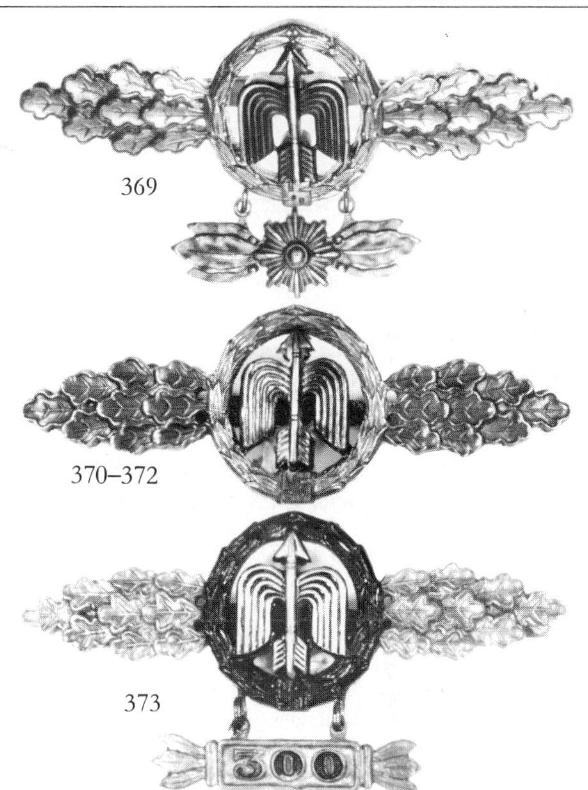


369

370–372

373

Nah-Nachtjäger

| | | |
|---|---|---|
| 373 | Spange in Gold mit Anhänger mit Einsatzzahl | * |
| 374 | Spange in Gold mit Anhänger | 980,– |
| 375 | Spange in Gold | 530,– |
| 376 | Spange in Silber | 425,– |
| 377 | Spange in Bronze | 385,– |

375–377

Fern-Nachtjäger

| | | |
|---|---|---|
| 378 | Spange in Gold mit Anhänger mit Einsatzzahl | * |
| 379 | Spange in Gold mit Anhänger | 1 100,– |
| 380 | Spange in Gold | 650,– |
| 381 | Spange in Silber | 550,– |
| 382 | Spange in Bronze | 475,– |

Zerstörer

| | | |
|---|---|---|
| 383 | Spange in Gold mit Anhänger mit Einsatzzahl | * |
| 384 | Spange in Gold mit Anhänger | 1 200,– |
| 385 | Spange in Gold | 680,– |
| 386 | Spange in Silber | 575,– |
| 387 | Spange in Bronze | 510,– |

Kampf- und Sturzkampfflieger

| | | |
|---|---|---|
| 388 | Spange in Gold mit Anhänger mit Einsatzzahl | * |
| 389 | Spange in Gold mit Anhänger | 450,– |
| 390 | Spange in Gold | 260,– |
| 391 | Spange in Silber | 220,– |
| 392 | Spange in Bronze | 165,– |

Aufklärer

| | | |
|---|---|---|
| 393 | Spange in Gold mit Anhänger mit Einsatzzahl | * |
| 394 | Spange in Gold mit Anhänger | 550,– |
| 395 | Spange in Gold | 325,– |

| | | |
|---|---|---|
| 396 | Spange in Silber | 280,– |
| 397 | Spange in Bronze | 215,– |

388

389

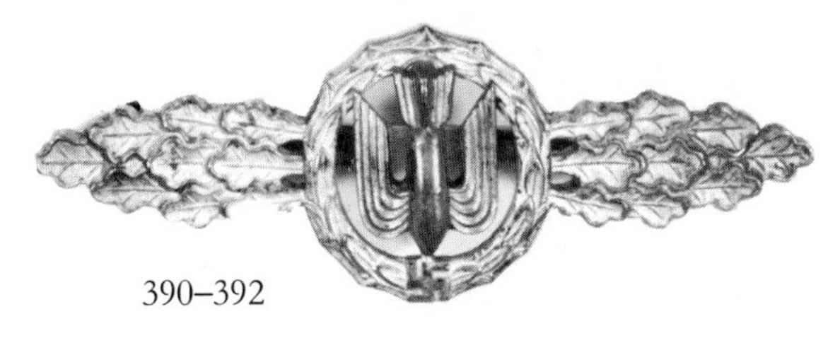

390–392

395–397

Transport- und Luftlandeflieger

| | | |
|---|---|---|
| 398 | Spange in Gold mit Anhänger mit Einsatzzahl | * |
| 399 | Spange in Gold mit Anhänger | 700,– |
| 400 | Spange in Gold | 375,– |
| 401 | Spange in Silber | 300,– |
| 402 | Spange in Bronze | 250,– |

398

Schlachtflieger

| | | |
|---|---|---|
| 403 | Spange in Gold mit Brillanten | * |
| 404 | Spange in Gold mit Anhänger mit Einsatzzahl | * |

404

| | | |
|---|---|---|
| 405 | Spange in Gold mit Anhänger | * |

406–408

| | | |
|---|---|---|
| 406 | Spange in Gold | 600,– |
| 407 | Spange in Silber | 500,– |
| 408 | Spange in Bronze | 400,– |

Kampfabzeichen der Luftwaffe

| | | |
|---|---|---|
| 409 | Flak-Kampfabzeichen | 135,– |
| 410 | Erdkampfabzeichen der Luftwaffe mit der Einsatzzahl „100" | * |
| 411 | wie vor, mit der Einsatzzahl „75" | * |
| 412 | wie vor, mit der Einsatzzahl „50" | 1 200,– |
| 413 | wie vor, mit der Einsatzzahl „25" | 780,– |
| 414 | wie vor, ohne Einsatzzahl | 130,– |

409

414

| | | |
|---|---|---|
| 415 | Nahkampfspange der Luftwaffe in Gold | * |
| 416 | wie vor, in Silber | * |
| 417 | wie vor, in Bronze | * |
| 418 | Panzerkampfabzeichen der Luftwaffe in Silber mit der Einsatzzahl „100" | * |
| 419 | wie vor, mit der Einsatzzahl „75" | * |
| 420 | wie vor, mit der Einsatzzahl „50" | * |
| 421 | wie vor, mit der Einsatzzahl „25" | 1 500,– |
| 422 | wie vor, ohne Einsatzzahl | 680,– |
| 423 | wie vor, in Schwarz mit der Einsatzzahl „100" | * |
| 424 | wie vor, mit der Einsatzzahl „75" | * |
| 425 | wie vor, mit der Einsatzzahl „50" | * |
| 426 | wie vor, mit der Einsatzzahl „25" | 1 500,– |
| 427 | wie vor, ohne Einsatzzahl | 800,– |
| 428 | Seekampfabzeichen der Luftwaffe | * |

Tätigkeits- und Leistungsabzeichen der Luftwaffe

| | | |
|---|---|---|
| 429 | Fliegerschaftsabzeichen | 1 000,– |
| 430 | Flugzeugführerabzeichen | 300,– |
| 431 | Beobachterabzeichen | 420,– |
| 432 | Gemeinsames Flugzeugführer- und Beobachter-Abzeichen in Gold mit Brillanten | 5 000,– |
| 433 | Gemeinsames Flugzeugführer- und Beobachter-Abzeichen | 775,– |
| 434 | Fliegerschützenabzeichen mit Blitzbündel | 280,– |
| 435 | wie vor, ohne Blitzbündel | 445,– |
| 436 | wie vor, ohne Blitzbündel mit schwarzem Kranz | 610,– |
| 437 | Fallschirmschützenabzeichen | 265,– |
| 438 | Segelflugzeugführerabzeichen | 875,– |
| 439 | Flieger-Erinnerungsabzeichen | 1 350,– |

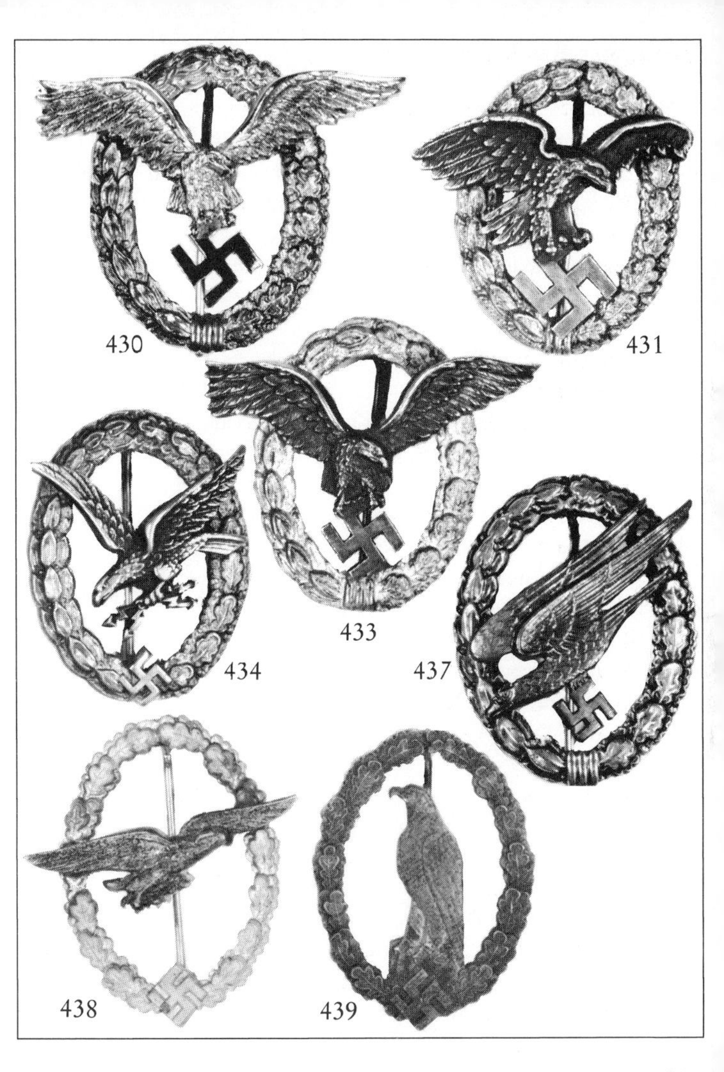
430
431
433
434
437
438
439

## Nicht tragbare Luftwaffen-Auszeichnungen

| Nr. | Bezeichnung | | Preis |
|---|---|---|---|
| 440 | Luftwaffen-Pokal | | 1 250,– |
| 441 | Ehrenschale für hervorragende Kampfleistungen | | 4 500,– |
| 441/1 | Medaille für ausgezeichnete Leistungen im technischen Dienst der Luftwaffe | S | 300,– |
| 441/2 | Luftgauplakette für treue Dienstleistungen Feldluftgaukommando Westfrankreich (Medaille) | B | 300,– |
| 441/3 | Luftgaukommando für treue Dienstleistungen Luftgaukommando Belgien-Nordfrankreich | B | 450,– |
| 441/4 | Plakette für besondere Leistung im Luftgau Norwegen (145 x 95 mm) | Eisen bronziert | 350,– |
| 441/5 | Plakette des Luftwaffenkommando Südwest | | * |
| 441/6 | Plakette für besondere Bewährung Luftgau Finnland (107 x 156 mm) | Bvg | * |
| 441/7 | Plakette für hervorrangende Leistung Luftgau XI (112 x 141 mm) | B | |
| | Typ 1 mit extra Namensschild | | * |
| | Typ 2 gravierter Name | | * |

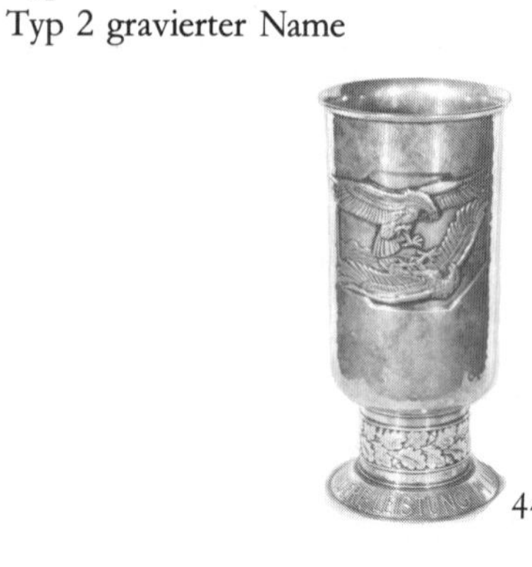

440

| | | | |
|---|---|---|---|
| 441/8 | Plakette in Anerkennung besonderer Verdienste im Einsatz Kreta | B | |
| | Typ 1 mit Umriß Insel | | * |
| | Typ 2 ohne Umriß (150 x 110 mm) | | * |

Kampfabzeichen der Waffen-SS und Polizei

| | | |
|---|---|---|
| 442 | Bandenkampfabzeichen in Gold mit Brillanten | * |
| 443 | wie vor, in Gold | 1 525,– |
| 444 | wie vor, in Silber | 820,– |
| 445 | wie vor, in Bronze | 720,– |

Auszeichnungen für Ausländer
Tapferkeits- und Verdienst-Auszeichnungen
für Angehörige der Ostvölker
Für Tapferkeit

| | | |
|---|---|---|
| 446 | 1. Klasse in Gold | 250,– |
| 447 | 1. Klasse in Silber | 200,– |
| 448 | 2. Klasse in Gold | 135,– |
| 449 | 2. Klasse in Silber | 120,– |
| 450 | 2. Klasse in Bronze | 100,– |

443–445

448–450

Für Verdienst

| | | |
|---|---|---|
| 451 | 1. Klasse in Gold | 225,– |
| 452 | 1. Klasse in Silber | 190,– |
| 453 | 2. Klasse in Gold | 130,– |
| 454 | 2. Klasse in Silber | 110,– |
| 455 | 2. Klasse in Bronze | 90,– |
| 456 | Erinnerungsmedaille für die spanischen Freiwilligen der Blauen Division | 100,– |

451, 452 453–455

# Notizen

# Notizen